EN HABILLANT L'ÉPOQUE

PAUL POIRET

EN HABILLANT
L'ÉPOQUE

Préface d'Henry Muller

BERNARD GRASSET
PARIS

PRÉFACE

Il y a plus de quarante ans de cela, j'étais alors un jeune secrétaire général des Editions Bernard Grasset et ce dernier, qui régnait alors en maître sur sa maison, était un ami de Paul Poiret, lequel lui avait confié un livre de souvenirs qu'il avait joliment et justement intitulé : En habillant l'époque. Quoique le grand couturier ne fût plus, loin de là, à l'apogée de sa carrière et de sa vogue, l'ouvrage avait connu du succès et, en tous les cas, attiré l'attention sur lui, au point qu'un grand magasin parisien allait lui confier la direction de son rayon de mode féminine ; l'expérience fut, soit dit en passant, courte car Poiret n'était pas fait pour les devis précis, les comptes exacts et les horaires prévus. Mais en entrant dans mon bureau après un temps où il avait connu tant de « cataclysmes financiers » suivant son expression, son humeur était à l'optimisme. C'était un homme plutôt petit et corpulent, chauve, à la barbe grisonnante en pointe, élégamment vêtu avec un rien d'excentricité, un peu vénitien d'allure. Son regard était d'une vivacité singulière, il pouvait se durcir ou s'adoucir et de même ses manières pouvaient être ou courtoises ou brusques allant jusqu'à friser l'insolence. Ce jour-là, après s'être enquis de la vente de son livre et m'avoir confié ses espoirs en son nouveau « départ », il me demanda, et cela dut lui coûter cher à lui entre les mains duquel tant de millions avaient passé, s'il ne pourrait bénéficier d'une petite avance sur ses droits à venir, avance que Bernard Grasset, que j'allai trouver, lui accorda sur-le-champ. Alors Poiret, non seulement me remercia chaleureusement mais spontanément me convia, sans écouter mes protestations, à déjeuner dans un restaurant élégant, coûteux, à la chère renommée. Nous étions trois, Poiret, une de ses filles et moi-même, et je pense que les deux tiers de l'avance reçue passèrent à régler une addition d'autant plus élevée que Poiret, gastronome averti, commanda un repas raffiné et royal. Je cite ce trait qui me paraît assez bien définir le caractère de cet homme qui fut magnifique et fastueux certes, mais aussi bon et généreux jusqu'à la prodigalité, incapable de refuser quoi que ce soit à quelqu'un à qui il portait de l'amitié, comme il était incapable de résister à l'achat d'une œuvre d'art qui l'avait séduit et qui, son instinct était sûr, était de qualité : Dufy, Dunoyer de Segonzac, Van Dongen, Naudin, Boussingault, Dignimont, Derain, Lepape, Oberlé et Iribe furent ceux dont il mit le talent à contribution aussi bien pour des décors et des costumes, de théâtre, ou de ses intérieurs, que pour des illustrations de livres ou des impressions sur soie. Il possédait beaucoup de leurs toiles dont il dut, le cœur serré, se séparer en ses années d'adversité.

On lira dans les pages qui suivent ses conceptions révolutionnaires pour son temps concernant la mode féminine, l'abolition du corset notamment, mais aussi les descriptions des fêtes fabuleuses qu'il donna comme celle du Pavillon du Butard ou de la « Mille et Deuxième Nuit » dont le faste, d'après Boni de Castellane, un connaisseur, n'a jamais été égalé. On lira aussi le récit à la vérité courtelinesque de sa guerre de 1914-1918 au cours de laquelle il avait conçu un nouveau modèle de capote pour les fantassins que n'apprécièrent guère les généraux, colonels et ministres de l'époque. Poiret n'était d'ailleurs pas fait pour la vie militaire et, soldat de seconde classe, cantonné à Lisieux, et avide de retrouver Paris il démarra dans sa voiture de luxe ; il était insensé de penser qu'en cette fin d'année 1914 il franchirait les barrages militaires établis sur les routes, mais il avait son stratagème : chaque fois qu'il était arrêté il se penchait hors de sa voiture et hurlait avec un enthousiasme feint : « Mes amis, la guerre est terminée. » Et, bien entendu, des clameurs de joie saluaient cette nouvelle monumentalement fausse, les consignes étaient oubliées, et Poiret poursuivait son chemin. Dignimont, Oberlé et Van Moppès m'ont certifié l'exactitude de cet épisode. Et à cela rien d'étonnant pour ceux qui connurent Paul Poiret, farceur et humoriste à ses heures dont Dunoyer de Segonzac a eu raison d'écrire qu'il incarna la joie de vivre, l'euphorie et l'insouciance d'une époque que l'on a baptisée « la Belle Epoque », et que l'on pourrait aussi bien nommer « l'Epoque Paul Poiret » tant il su l'animer, la marquer et l'enchanter par son goût, ses recherches, et sa magnifique fantaisie.

HENRY MULLER.

I

JEUNESSE

Je suis parisien du cœur de Paris. Je suis né dans les rue des Deux-Ecus, I⁰ⁿ arrondissement, où mon père était établi marchand de draps, à l'enseigne de « l'Espérance ». C'était une petite voie étroite qui reliait la rue du Louvre et la rue Berger.

La boutique de mon père occupait toute la façade du rez-de-chaussée. En face, il y avait les petits commerçants, dont les enfants peuplaient la rue, la fruitière, si bien coiffée, le cordonnier alsacien Liebengut, le menuisier Fréchinier, le marchand de vins Michaud et le boucher Badier, aujourd'hui millionnaire. Un peu plus loin, la fabrique de marrons glacés et de compotes qui, parfois, parfumait tous les alentours et me comblait d'aise.

On m'a dit qu'une des premières paroles que j'aie prononcées fut « Cron papizi », et les initiés reconnurent que c'était ma manière de réclamer un crayon et du papier. Ainsi, ma vocation de peintre se révélait avant celle de couturier, mais on n'a pas conservé mes premières œuvres, qui semblent n'avoir eu d'intérêt et de sens que pour moi-même.

Ma vie s'écoulait entre l'appartement de ma mère, qui occupait le premier étage, et le magasin de mon père, où j'étais autorisé à descendre quelquefois. J'avais des amis dans la maison : le chat, le chien, et un vieil employé, Edmond, qui s'ingéniait à me confectionner des jouets primitifs : avec quatre planches, il faisait indifféremment un chariot ou un billard, et il flattait mes instincts de mauvais sujet en m'apprenant à bombarder d'épingles les employés du Louvre, passants débonnaires, portant sur leurs épaules une légère cargaison de ballons gonflés, qu'on faisait éclater sous cette mitraille.

Je faisais souvent des courses avec ma mère ; il me plaisait beaucoup de l'accompagner dans les magasins, dont j'aimais l'odeur de poussière et de parfumerie, et surtout en visite, où je me délectais à écouter les conversations et les lieux communs des dames, en ayant l'air de jouer à autre chose.

J'étais toujours très bien habillé ; je me rappelle un costume de velours noir dont j'étais très fier ; j'avais une petite bague en or, incrustée de fleurettes en turquoises. Un jour que nous allions au Bazar de l'Hôtel-de-Ville, je la posai en passant sur une table à la terrasse d'un café. Une heure plus tard, nous revenions par le même chemin, et j'étais très surpris de ne plus retrouver ma bague à l'endroit où je l'avais mise. Je poussai une exclamation ; ma mère me demanda ce que j'avais, et je lui expliquai ma déception. Elle déplora ma naïveté et me dit qu'il fallait toujours se méfier des voleurs... J'avais déjà cette belle confiance qui m'a nui toute ma vie. Je ne croyais pas aux voleurs. Je commence à y croire aujourd'hui.

Je me rappelle que j'avais peu d'appétit et que c'étaient des scènes interminables pour me faire avaler quelques bouchées de viande. Mon père m'avait promis si je mangeais un bifteck de me donner un polichinelle. J'en avais vu un, qui me plaisait par ses couleurs, à la vitrine du « Paradis des enfants », un magasin qui était dans notre voisinage et, à peine la dernière bouchée dans la bouche, je m'élançai au-devant de mon polichinelle, que je rapportai triomphalement.

Mon père était bon, mais il avait honte de ses sentiments, et il était d'un aspect sec et bourru. Ma mère était charmante, pleine de douceur et de tendresse, d'une éducation et d'une instruction très supérieures à sa condition. Je me rappelle avoir assisté à leur prospérité, et vu la joie qu'ils avaient à augmenter et à embellir leur intérieur. Ils achetaient dans les Expositions successives de 1878, 1889 et 1900 tout ce qui devait être notre patrimoine. Ce n'était pas toujours très joli, mais cela marquait une aspiration vers le mieux, une progression vers le beau. La culture ne s'improvise pas.

Une simple histoire dira mieux qu'un long préambule à quelle classe sociale j'appartenais. Ma grand-mère paternelle avait dix-neuf frères et sœurs, tous vivants. On se réunissait souvent, les jours de fête, chez les plus aisés d'entre eux ; la plupart, petits bourgeois, habitaient la région d'Issy-les-Moulineaux.

Un jour — j'avais sept ans, mais je m'en souviens comme si c'était hier — on me dit que ma tante Paul était mourante et qu'il fallait aller la voir pour la dernière fois ; on me conduisit chez l'oncle Paul, qui m'accueillit en me disant : « Bichette est malade, il ne faut pas faire de bruit », et il m'accompagna dans la chambre de sa femme. Je ne la voyais pas, tant elle était juchée sur un lit élevé ; je distinguais bien un édredon rouge, un couvre-pieds de dentelle au crochet, et, parmi les oreillers entassés, un grand nez pointu tout pâle. On me prit sous les bras et on me souleva, pour que je pusse l'atteindre et l'embrasser. Elle me dit quelques paroles empoisonnées où il était question du ciel, et on me déposa par terre.

Dans le couloir je retrouvai l'oncle Paul, désœuvré, qui faisait les cent pas en pantoufles, allant du perroquet à la pendule. Il se faisait vieux et perdait parfois la notion de la réalité.

Quelques jours plus tard, l'enterrement eut lieu. A l'heure dite, boulevard du Lycée, à Issy, les vingt frères et sœurs, avec leurs femmes ou leurs maris, étaient là, en redingotes, en chapeaux hauts de forme, ou en châles de deuil, alignés au bord du trottoir. On se rendit à l'église, où, naturellement, l'oncle Paul occupait la première chaise du premier rang. J'étais derrière lui. Il était nerveux et paraissait chercher quelque chose. Il se retournait, inquiet, et saluait de la main tous les oncles et tantes qu'il voyait arriver et prendre leur place, et, tout à coup, se tournant vers son voisin, il lui dit : « Ben, où donc qu'elle est, Bichette ? »

Son voisin, c'était l'oncle Denis, doreur de profession, qui aurait dû être habitué à prendre des précautions ; il ne lui dora pas la pilule, et, d'un geste des deux mains, il lui désigna le catafalque en disant : « Ben, voyons ! » Alors, l'oncle Paul réalisa ce qu'il faisait là, et il éclata en sanglots, comme un enfant.

En quittant l'église, nous marchions en cortège, derrière la voiture funèbre, quand mon voisin, un vieillard en redingote, me demanda comment je m'appelais et qui j'étais : je lui dis :

— C'est moi, Paul Poiret.

— Mais alors, dit-il, tu es le fils à Auguste ?

Et appelant tous les autres en témoignage, il leur disait : « Eh ! c'est le fils à Auguste ! »

Mon père avait été choyé par tous ces vieux birbes ; je profitais de sa notoriété et de sa popularité dans ce milieu. L'oncle Denis s'approcha de moi, et me montrant le coq sur le clocher de l'église, il me dit :

— Tu vois, c'est moi qui l'ai doré, et, tu sais, il ne faisait pas chaud, là-haut !

Notre maison de campagne était située tout près de là, dans la banlieue immédiate de Paris, à Billancourt. C'était une grande bâtisse carrée avec un parc immense, devenue depuis propriété des usines Renault, car la famille Renault était aussi originaire de Billancourt. Les fils Renault ne se montraient jamais à ceux qui allaient visiter leurs parents ; on savait qu'ils s'amusaient, dans un atelier d'amateur, parmi des mécaniques, des bielles et des pistons, à construire leur premier moteur, et si par hasard on les apercevait, ils apparaissaient couverts d'huile et de cambouis, serviteurs échevelés de leur idéal, farouches prisonniers d'une idée. C'est à Billancourt que je vis les premières voitures automobiles faire leurs essais sur les quais. Les promeneurs jugeaient sévèrement ces engins et disaient : « C'est peut-être très commode, mais cela n'est certes pas joli : il y manque quelque chose par-devant. » A ces bourgeois routiniers, c'est le cheval qui paraissait faire défaut. Sans leur préjugé, on aurait peut-être placé plus logiquement le moteur à l'arrière.

Je me souviens des années passées à Billancourt, dans l'actif farniente de l'enfance, où on est toujours occupé, bien qu'on ne fasse jamais rien. On ne connaît pas l'ennui. Les jeux qui me retenaient le plus n'étaient pas ceux des enfants de mon âge. Je créais des constructions miraculeuses et des jets d'eau, que je faisais marcher en disposant dans un arbre élevé un tonneau rempli d'eau. Ou bien, touché par l'éclat des fleurs, des géraniums et des bégonias qui abondaient dans les plates-bandes de ma grand-mère, au bord des terrasses et sur les pelouses, je cherchais à créer des encres ou des couleurs, en pressant les pétales de ces fleurs par des procédés tellement empiriques et primitifs que, naturellement, je n'arrivais à aucun résultat qu'à tacher ma figure, mes mains et mes vêtements irrémédiablement. Ou encore, je voulais emprunter aux roses leurs parfums, et je les enfermais dans des bouteilles d'alcool ou d'eau gazeuses, n'ayant à cet âge aucune notion de chimie, ou je les écrasais dans des boîtes hermétiques. Puis, j'y faisais un trou, qui répandait une affreuse odeur de moisi. J'étais très déçu, mais jamais découragé. Et surtout, j'organisais des fêtes, des réjouissances, auxquelles je conviais ma famille, avec des buffets où j'offrais un champagne de ma fabrication, une mixture effroyable, mélange de citron, de vin blanc et d'eau de Seltz. Je ramassais toutes les ferrailles dans le potager et dans le verger, je les étiquetais comme fait un conservateur et je composais un musée d'antiquités. Je ne raconte pas cela pour me vanter du choix de mes distractions, mais parce qu'il peut paraître curieux de me voir déjà à cette époque intéressé par ce qui devait faire plus tard l'objet de mes recherches et de mes passions.

Un soir, je quittais Billancourt avec mes parents pour assister à l'inauguration de l'Exposition de 1889. Mon père avait des entrées de faveur. J'étais ivre de joie. A cheval sur ses épaules, j'assistai à la révélation féerique des fontaines lumineuses et je fus incapable d'en détacher mes regards, comme je serais incapable aujourd'hui d'en oublier le spectacle. Je me suis souvent demandé si mon goût pour la couleur n'était pas né ce soir-là, devant la fantasmagorie des roses, des verts et des violets. Je n'essaierai pas de dépeindre l'enthousiasme de la multitude qui assistait pour la première fois à ce prodige. Quand tous les jets d'eau se fondirent dans une lumière opaline et verdâtre, une voix s'éleva dans la foule et s'écria dans le silence : « Ah ! le beau Pernod ! » et il y eut un déchaînement de rires bien français.

L'Exposition me révélait d'autres merveilles imprévues : les applications de l'électricité, le phonographe, etc. Je voulais connaître Edison, ou lui écrire pour le remercier et le féliciter personnellement de ce qu'il donnait à l'humanité. Le chemin de fer Decauville, le trottoir roulant, les machines Marinoni, les foulons destinés à la fabrication du papier, les tissages de la laine, les brocarts de Lyon, il me semblait que tous les secrets de la vie m'étaient ouverts ensemble et toutes mes curiosités assouvies.

Quelle belle époque !

Puis nous fîmes, en famille, un voyage en Bretagne, qui aurait dû me faire passer pour toujours le goût des voyages, tant je m'y ennuyai. Nous faisions toutes nos excursions dans des voitures découvertes, des landaus, des victorias ou des vis-à-vis attelés de deux chevaux. Ma mère et ma sœur se prélassaient sur la banquette, ces messieurs (mon père et moi) occupaient le petit strapontin, généralement étroit et dur, de sorte que je ne voyais tout le long du chemin que ma mère et ma sœur, avec leurs ombrelles ouvertes, et que je ne jouissais guère du paysage que lorsqu'on arrêtait devant quelque calvaire. Ou bien, parfois, j'étais à côté du cocher, et je respirais la poussière et l'atmosphère que les chevaux rendaient à tout moment intolérable. Heureusement, il y avait des côtes sans fin ; on sautait à terre, et, pour soulager l'attelage, on les montait à pied. Je cueillais des fleurs le long du talus et je composais des bouquets pour ma mère, car l'âme celtique ne se révélait pas encore à moi et gardait tout son mystère.

Quand j'eus douze ans, nous quittâmes pour la rue des Halles, la sordide rue des Deux-Ecus. J'allais à l'école Massillon, où je rencontrais des enfants d'une origine supérieure à la mienne, et j'eus quelquefois à souffrir de la comparaison, notamment lorsque je portais un pantalon beige qui avait été découpé dans un tissu probablement laissé pour compte par un des clients de mon père. Quand il pleuvait, la teinture s'altérait et devenait d'un rose mauve qui me faisait montrer du doigt par tous mes camarades enchantés. J'aurais dû en rire et j'en pleurais.

J'avais trois sœurs. Elles eurent des scarlatines étagées. On me mit pensionnaire à Massillon pour éviter la contagion. Comme j'étais sensible et très affectueux, je souffris beaucoup d'être éloigné de ma famille ; nul cadre ne me paraissait plus désirable que celui de ma maison. Quelles tristes soirées je passai dans le dortoir de l'école, si précaire et si incomplet, écoutant les son-

neries de clairon de la caserne des Gardes Républicains
qui était en face ! Je restais éveillé longtemps après
l'extinction des feux, et je rêvais.

Rêvais-je déjà d'étoffes et de chiffons ? Je crois bien
que oui. Les femmes et leurs toilettes me passionnaient ;
je feuilletais les catalogues et les journaux, avide d'y
trouver des indications concernant la mode ; j'étais
très coquet et si j'oubliais quelquefois de me laver, je
n'oubliais jamais de changer de col.

J'étais un élève médiocre et j'attachais plus d'intérêt à la littérature qu'aux mathématiques. Beaucoup
de mémoire, retenant tout ce qui me plaisait, indifférent au reste, je pouvais être le premier de la classe
dans une branche et le dernier dans une autre, cela
n'étonnait personne ; mes camarades m'aimaient pour
ma fantaisie. Mes cahiers étaient couverts de dessins
comiques ; on se les disputait, comme les chefs-d'œuvre
dans une bibliothèque.

Une année, je fus convié à assister au gala de la
Saint-Charlemagne ; c'était une date dans mon existence, je ne devais y aller qu'une seule fois. Ceux qui
avaient été premiers déjeunaient ce jour-là à la même
table que les professeurs. Il m'arriva quelque chose de
bien fâcheux. Comme on nous avait servi du lapin, je
mis dans ma bouche une petite boule que je prenais
pour un capre, et je m'aperçus, aussitôt que j'y eus
enfoncé mes dents, que c'était positivement une crotte
de lapin. Que faire ? Cracher dans mon assiette ce que
j'avais dans la bouche ? C'était impossible, car je tenais
à donner à mes professeurs l'impression que j'étais un
garçon bien élevé, et je voulais les étonner par la
manière dont je me tenais à table. Je gardais dans ma
bouche cette saleté, en proie à la plus vive angoisse.
Je passai ma serviette sur mes dents, elles étaient toutes
vertes. Je pris le parti de m'enfoncer une mie de
pain dans le gosier et d'avaler tout. Y avait-il une
autre solution convenable ?... Je n'assistai plus jamais
à la Saint-Charlemagne, faut-il le regretter ? J'avais

des camarades qui n'en manquaient pas une, Weber, Manilève et quelques autres, tout à fait obscurs aujourd'hui. Chaque fois que je les voyais se préparer à ces agapes, je songeais à ce qui les attendait, et je riais sous cape. Pour moi c'étaient des habitués de la crotte de lapin.

On m'appréciait beaucoup pour ma gaieté, et dans toutes les distributions de prix, je compensais les amères déceptions de mes parents, relativement à mes récompenses par des succès d'un autre ordre ; je jouais la comédie et je disais des monologues avec beaucoup d'audace et de drôlerie. Je fus bientôt réputé pour ce genre de distractions ; on m'invitait partout pour m'entendre.

Mon enfance s'achevait, partagée entre mes études, la fréquentation de mes camarades, et mon goût pour le théâtre où je passais presque toutes mes soirées. A sept heures juste, on se mettait à table, dans ma famille, et trois quarts d'heure après j'étais déjà aux portes de la Comédie-Française, dont j'attendais l'ouverture. Je me précipitais alors dans les escaliers, je les grimpais quatre à quatre et je m'installais à la première place du dernier étage. Cela s'appelait l'amphithéâtre ; on payait un franc par personne ; c'était le paradis. C'est là que je goûtai mes premières joies littéraires, et que j'entendis tous les classiques. J'y fis ma culture dramatique sous les éclats du grand lustre et du plafond si près de ma tête. Ah ! les belles heures passées avec Mounet-Sully, Got, Bartet, de Féraudy, Réjane, Granier, Sarah Bernhardt, Guitry ! Je me suis souvent demandé comment les jeunes gens d'aujourd'hui pouvaient se passer de ces délices et de ces joies de l'esprit. Je reverrai toujours Mounet-Sully dans *Œdipe-Roi* descendant, aveugle, les marches du temple et disant d'une voix suave :

Enfants du vieux Cadmus, jeune postérité...

Et Got, essuyant ses lunettes, dans *l'Ami Fritz*, pour se donner une contenance et masquer sa visible émotion.

Et de Féraudy, dans *le Fils de Giboyer*, laissant tomber sa pipe sur le tapis du grand salon : « Je ne t'emmènerai plus dans le monde. »

Et Bartet, dans *Antigone*, qui portait une robe de mousseline plissée, si pure, si chaste, et dont tout le bas paraissait ombré par un curieux effet de la rampe.

Et Réjane, dans *Ma cousine,* avec son petit costume tailleur à carreaux qu'elle transformait sous les yeux du public.

Et Granier, dans *Amants*, sanglotant dans le décor nocturne du lac de Lugano.

Et Sarah Bernhardt dans *Gismonda, princesse d'Orient.*

Et de Max, évêque des premiers âges, au petit bonnet de velours corail doublé d'hermine...

Ah ! Le théâtre de Sardou, de Lavedan, de Brieux, de Capus, de Flers et Caillavet, de Maurice Donnay, par quoi a-t-on remplacé tout cela ?

Je me rappelle les belles soirées d'abonnement du Gymnase et du Vaudeville, où toute la bourgeoisie et la finance de Paris écoutaient *Viveurs* ou *Nos bons villageois* ou *Amants*. Les femmes gardaient alors leurs chapeaux à l'orchestre : c'étaient de petites capotes, avec ou sans brides, et qui étaient tressées de fleurs éclatantes, violettes de Parme ou géraniums. Alors, le parterre était vraiment un parterre fleuri. Et puis, il y avait les manches à gigot dépareillées, coupées dans un autre tissu que la robe elle-même, et au foyer, pendant les entractes, les jupes froufroutantes, qui balayaient le parquet ciré de leurs ruches et de leurs bouillonnés, qu'on appelait du reste des balayeuses. Et puis j'ai vu les tournures, et je pourrais dire comme François Coppée :

... et je n'ai pas trouvé cela si ridicule.

Les femmes ne peuvent-elles pas tout porter, et n'ont-elles pas le secret de rendre beau, ou de faire admettre l'invraisemblable et l'outrecuidant ? Ces parures, qu'on appelait des strapontins, étaient recouvertes d'un amas d'étoffes drapées, travaillées, coulissées avec art par les grands faiseurs d'alors, et paraissaient légères malgré leur abondance. Et puis on découvrait, sous ce fatras, un pied si mignon, si bien cambré dans le chevreau mordoré, que le charme était irrésistible. J'ai vu les chapeaux caracoler au sommet des chevelures, légers comme des papillons, malgré le poids des garnitures, tant sont adroits les artistes qui approchent les femmes.

Il y avait alors, plusieurs fois par an, de grandes solennités où se révélaient toutes les tendances de la mode. Je les suivais avec passion. C'étaient les cérémonies des vernissages, tombées aujourd'hui en désuétude ou presque. On n'y rencontrait pas seulement des rapins armés d'échelles et de pots de vernis, mais leurs modèles, leurs admiratrices et leurs clients, et il régnait dans tout ce milieu une recherche et un snobisme qui étaient le foyer même de la mode. Je fréquentais beaucoup les salons de peinture, et je cherchais à y découvrir ceux qui devaient devenir les maîtres du lendemain. Clairin et Bouguereau me paraissaient périmés, Carolus Duran démodé, Bonnat pompier ; mes opinions passaient pour subversives et effrayaient ma famille par leur indépendance. Je préconisais la peinture de Cottet, alors débutant, et j'aimais les impressionnistes.

Je rencontrais tous les soirs des artistes, sur le bateau qui me conduisait à Billancourt, et je consolidais ma foi en les écoutant parler. Il y avait notamment Rodin, petit dieu trapu à barbe de fleuve, qui regagnait par le bateau-mouche sa maison de Meudon. On mettait une heure pour aller du Pont-Royal à la station ; c'était un moment paisible que celui que l'on passait sur ce modeste navire, après la fièvre d'une journée de Paris.

Le viaduc d'Auteuil, les coteaux de Meudon, et les couchers de soleil derrière l'Observatoire, tout cela compose encore dans mon souvenir une harmonie sédative et lénifiante.

Mon père avait un petit canot, qu'il appelait *le Microbe*. Nous allions souvent nous promener sur l'eau, ou à la pêche. Il m'emmena un jour avec M. Maurou, qui était un grand graveur d'alors, et nous eûmes la surprise d'entendre, dans un petit restaurant où nous nous étions arrêtés, une laveuse de vaisselle qui chantait en faisant son travail. Elle avait des notes merveilleuses, et j'ai encore présente l'émotion qu'elle me procura. M. Maurou retourna plusieurs fois l'entendre. Il la persuada qu'elle devait travailler sa voix, lui donna un maître et la fit entrer au Conservatoire. Elle devint la grande Delna, qui chanta, on sait comment, *l'Attaque du Moulin, Falstaff*, et tant d'autres œuvres célèbres.

Quand vinrent les années où se préparait l'Exposition de 89, nous assistions, matin et soir, aux progrès de la Tour Eiffel, et les commentaires à bord allaient leur train.

Je terminais difficilement mes études, sollicité par des distractions diverses et l'impatience de goûter les joies de la vie. A dix-huit ans, j'étais bachelier et mon père, effrayé de me voir choisir moi-même ma carrière, me dirigea chez un de ses amis, qui était fabricant de parapluies, pour m'y faire apprendre le commerce. Ce fut pour moi une dure épreuve. Je n'évoquerai pas sans tristesse la morne maison de ce fabricant d'ombrelles, qui était la sottise même ; je passais chez lui des journées mortelles, essuyant et transportant des pièces de soie sombre. Mon père lui avait dit : « Attention ! c'est un garçon qui a l'amour-propre développé, il serait facilement orgueilleux ; il faut briser cela ; je veux qu'il apprenne tout, depuis le commencement. » Alors, on me faisait apprendre à balayer, et mon employeur prenait un malin plaisir à voir ce bachelier, dont il était secrètement jaloux, vêtu d'une blouse et armé d'un plumeau. On me réservait les besognes les plus basses, comme celle de reboucher les parapluies. Je suis sûr que vous ne savez pas ce que c'est. Je vais vous le dire : quand un parapluie est terminé, il y a dans la soie, si elle n'est pas de qualité irréprochable, des petits trous, dus à des imperfections de tissage. Je passais ma journée à ouvrir les parapluies et, à l'aide d'un pinceau trempé dans une colle noirâtre, je bouchais ces orifices.

Je ne songeais naturellement qu'à m'échapper de cette occupation. On m'en donnait le prétexte en m'envoyant au Bon Marché, au Louvre, aux Trois Quartiers, livrer des parapluies. Je traversais Paris avec ma blouse, et un lourd colis de parapluies sur l'épaule.

L'intérêt de ce travail de dressage ne vous échappera pas : il s'agissait de briser mon orgueil. Il faut croire que le procédé n'était pas infaillible, car il est encore entier aujourd'hui. Je détestais et je méprisais un maître qui comprenait si mal le parti qu'on pouvait tirer de ma force, de mes facultés et de ma bonne volonté. Je le regardais avec des yeux chargés de haine écrire ses lettres pleines de fautes d'orthographe, et je ne songeais qu'à le tromper et à échapper à son pouvoir. Je chipais des morceaux de soie qui tombaient de la coupe des ombrelles, et je me constituais un petit trésor de rognures qui illustraient mes rêves et stimulaient mes aspirations. Quand j'étais chez moi, le soir, je me retirais dans ma chambre et j'imaginais des toilettes somptueuses, des robes de féerie. Mes sœurs m'avaient offert un petit mannequin en bois, haut de 40 centimètres, et j'épinglais mes soieries et mes mousselines sur cette maquette. Quelles délicieuses soirées je dois à cette poupée, dont je faisais tour à tour une Parisienne piquante ou une impératrice d'Orient !

Et puis, je dessinais des toilettes fantaisistes. Mes croquis étaient sommaires. C'étaient des notations à l'encre de Chine, et je me souviens que l'idée y était

toujours clairement indiquée, et qu'il y avait toujours
un détail inventif et un point intéressant. Un jour, en-
couragé par un ami audacieux, je portai des dessins
chez Mme Chéruit, qui faisait partie de la maison
Raudnitz Sœurs. Ce fut un succès ; Mme Chéruit voulut
immédiatement me connaître, me fit demander dans
le couloir sombre où j'attendais son opinion, et m'intro-
duisit dans son cabinet. Je n'avais jamais rien vu de
plus troublant que cette jolie femme au milieu de tant
d'élégances. Elle était telle que l'a décrite et racontée le
burin du graveur Helleu, moulée dans une robe gros
bleu, avec une très haute encolure qui prenait la forme
de son menton et s'allongeait jusqu'à ses oreilles. De
cette gaine sortait une mince ruche blanche, qui sertis-
sait son visage. La fermeture de sa robe était invisible.
Ses cheveux roulés en torsades derrière la tête formaient
sur son front une vague si savamment éparpillée que
toutes les pervenches de son regard en étaient ombra-
gées. Je ne crois pas que Mme Chéruit ait jamais su
l'impression captivante qu'elle exerça sur ce jeune grin-
galet qui lui proposait ses travaux, probablement indi-
gnes d'elle, mais elle en fit grand cas, et acheta mes
petits croquis, qu'elle paya 20 francs pièce, en m'en-
gageant à revenir. Il y en avait une douzaine. C'était
le Pactole. Je pourrais désormais éviter de traverser
Paris avec mes parapluies sur le dos, et si on m'envoyait
faire encore des livraisons, je les ferais en fiacre. Je
sentais naître en moi un goût d'indépendance et d'affran-
chissement.

Je pris l'habitude de visiter les grandes maisons de
couture, telles que Doucet, Worth, Rouff, Paquin, Red-
fern. J'avais toujours du mal à forcer la porte, parce que
naturellement je n'avais pas le genre des employés qui
me recevaient. On voyait bien que je n'étais pas du
bâtiment. Mais, quand je fus connu, on m'accueillit
partout. Je sentais de la considération et de l'intérêt
s'éveiller chez mes clients.

Un jour (nous étions en 1896) M. Doucet me pro-

posa, au lieu de pondre dans tous les paniers, de
produire pour lui seul. Il m'offrit de me garder chez
lui et de m'acheter tous mes dessins. Quand je dis
cela à mon père, il refusa de me croire, tant il ignorait
ma vocation et tant il avait peu de confiance dans ma
réussite. Il voulut m'accompagner chez M. Doucet, pour
se conformer à la tradition qui exigeait alors qu'on fût
présenté par ses parents. Je me vois encore avec lui
franchissant la porte de M. Doucet, dans sa demeure
si distinguée de la rue de la Ville-l'Evêque, et je me
souviens quelle impression magnifique me produisit
mon futur maître.

Il était parfaitement beau et élégant, extrêmement
soigné et tiré à quatre épingles. Sa barbe soyeuse était
déjà blanche, bien qu'il n'eût que quarante-cinq ans à
cette époque. Il portait un complet gris dont l'étoffe
formait de petits losanges concentriques, et ses guêtres
blanches recouvraient en partie des chaussures tellement
vernies que je n'en avais jamais vu de pareilles. Je sus
depuis que ce vernis était obtenu par un procédé spécial,
et que ses chaussures devaient être passées au four
pour être revernies, chaque fois qu'il les portait.

Tout le cadre de M. Doucet était composé de vieilles
gravures et de tableaux du XVIIIᵉ siècle, et de meubles
rares et anciens, mais très sobres et choisis avec un goût
parfaitement sûr. Les velours des rideaux et des fauteuils
étaient vert mousse ou mauve, d'une qualité précieuse.
En l'écoutant parler, je pensais qu'il disait tout ce que
je voulais dire. Dans ma pensée, j'étais déjà le Doucet
de l'avenir. Je ne voulais pas avoir d'autre modèle dans
la vie que celui-là. J'aurais voulu me fondre à son
image. Il dit à mon père qu'il avait remarqué à l'Exposition canine de la terrasse des Tuileries un chien griffon,
exposé sous le nom de Poiret. C'était, en effet, le chien
de mon père. Mon père le lui offrit en échange du
service qu'il me rendait en m'accueillant chez lui. Puis,
nous nous retirâmes, très émus de cette cordiale entrevue, et moi, profondément impressionné par la physio-

nomie majestueuse et affable de ce vrai grand seigneur.

C'est à peu près vers cette époque que j'eus l'occasion de déjeuner avec le célèbre directeur des Grands Magasins du Louvre, M. Chauchard.

Je connaissais M. Roy, le grand marchand de chevaux, qui était le pourvoyeur de la cavalerie du Louvre, honneur des concours hippiques d'alors, et dont Félix Potin s'est aujourd'hui attribué les lauriers. M. Roy m'invita à déjeuner avec M. Chauchard. J'ai compris depuis qu'il voulait s'éviter les angoisses d'un pénible tête-à-tête, car M. Chauchard était le plus artificiel et le plus gourmé des personnages. Toute sa richesse masquait à peine une grande pauvreté. Ce jour-là, il brilla plus par son appétit que par sa conversation. Il mangeait d'une façon décorative, enfonçant méthodiquement sa fourchette entre deux pompeux favoris blancs, qui formaient une escorte à son visage. C'était l'empereur des Philistins.

Nous déjeunions à l'Hôtel Terminus, et le choix de ce restaurant me semblait bizarre. Quand je me trouvai seul avec lui, je demandai à M. Roy pourquoi il avait trouvé bon de nous réunir dans ce décor démodé et solennel. Il m'expliqua que l'Hôtel Terminus appartenait à M. Chauchard, et que celui-ci se réjouissait à tout instant, non seulement de déguster les château-laffitte et les romanée qui faisaient la réputation de ses caves, mais de penser que chaque gorgée de vin lui rapportait quelque bénéfice. Il ne détachait pas sa pensée de ce point de vue, et il entendait les gros sous tomber dans son gousset, en même temps qu'il avalait le fogosch et les ortolans.

Je cite cela comme un trait du passé, car je ne peux pas croire qu'il existe aujourd'hui aucun personnage du même genre.

II

CHEZ DOUCET

J'entrai alors dans cette vie, nouvelle pour moi, de la couture, où m'attendaient tant de succès et aussi tant de déboires. La maison Doucet était en pleine prospérité. Devant ses portes de la rue de la Paix, on voyait trois files d'équipages, où les carrossiers d'alors prodiguaient leur fantaisie. Je verrai toujours la belle comtesse de La Riboisière monter dans sa victoria, par un beau soleil de novembre, et s'asseoir avec grâce parmi les coussins de drap clair, tandis qu'un valet de pied bordait autour de ses jambes une couverture de fourrure. Quelle allure ! Et que dire du général Robineau, élégant sportsman, qui, en chapeau haut de forme et en jaquette, faisait chaque jour de beau temps sa promenade aux Champs-Elysées, en tricycle ?

C'était une époque bénie, où les soucis et les contrariétés de la vie, les tracasseries des percepteurs et les menaces socialistes n'écrasaient pas encore la pensée et la joie de vivre. Les femmes pouvaient être élégantes dans la rue sans être en butte aux injures des terrassiers. La familiarité qui régnait entre le peuple et les puissants de la terre était charmante et de bon ton. Les grands seigneurs qui fréquentaient la rue de la Paix répondaient aux sourires des midinettes. Une jolie camaraderie fleurissait dans la rue.

Je connus, chez Doucet, des heures délicieuses, des gens inoubliables. Je m'y trouvai très dépaysé quand je fus présenté au corps de garde des vendeuses. C'étaient, pour la plupart, de vieilles harpies, installées dans la maison comme des rats dans un fromage. Elles exerçaient un grand ascendant sur leur clientèle, parlaient familièrement aux grandes dames, en les enlaçant par la taille, leur donnaient des conseils sur un ton protecteur, et pratiquaient, sur tout le personnel de la maison, un despotisme insupportable. Il faut que je cite cette pauvre mère Tilliez, qui avait une robe de satin liberty violet évêque, et qui, malgré ses soixante-dix ans, s'habillait toujours comme une jeune fille. Elle s'employait à contrecarrer mon influence, comme si j'avais pu lui porter ombrage. Je pense qu'elle détestait ma jeunesse et mon indépendance. Cette figure ravagée par l'âge et la cupidité a disparu par le suicide. Elle avait un jeune amant avec lequel elle se disputa un jour, et comme il menaçait de quitter la maison, elle lui dit : « Si tu t'en vas, je serai dehors avant toi », et comme il descendait par l'escalier, elle se jeta par la fenêtre. Il la trouva effectivement sur le trottoir en passant la porte.

Je revois aussi le masque de Gorgone de Flavie, aux cheveux acajou, et dont les yeux jetaient des flammes de haine, et la mielleuse Mlle Sannois, aux cheveux d'argent, aux robes de dentelle, aux airs penchés (je crois qu'une infirmité l'empêchait de tenir sa tête droite) dont la douceur n'était pas moins dangereuse.

Je crois que je n'oublierai jamais Eliane, qui avait l'air d'un vieux fauve à crinière multicolore. Ce félin portait sur la tête une liasse de mèches comme la carte d'échantillons d'un teinturier. Ses cheveux s'étendaient de l'écarlate au vert empire, en passant par tous les « jus de chique », toutes les « queue de bœuf » et toutes les « pelure d'oignons ». Elle rappelait la vadrouille dont se servent les matelots pour laver le pont, mais une vadrouille emmanchée d'un cep de vigne, tant son cou était nerveux, musclé et noueux. Deux phares verts,

ses yeux, et la bouche sans lèvres d'une vipère, tel était
le visage affreux de cette épave, qui me terrifiait. Je la
considérais comme une sorcière dangereuse, une mauvaise fée. J'imaginais sa vie mystérieuse et tragique,
mais je me trompais, car Eliane vivait avec un garçon
qui, peut-être, avait commis l'imprudence d'expérimenter
sur elle-même de nouveaux procédés de teinture.

Tandis que je cherchais par tous les moyens à asseoir
mon importance dans la maison (car j'étais le chef du
rayon tailleur, et j'avais la haute main sur un personnel
technique, qui en savait plus long que moi), Mesdames
les vendeuses travaillaient à m'humilier devant les subal-
ternes et se faisaient un malin plaisir de me brimer. Je
comptais heureusement quelques amies dans la jeunesse : Mme Ventadour, qui était blonde et fort jolie,
et Mme Lemesnil, qui était brune et très élégante.

Mme Lemesnil, directrice du rayon de fantaisie, était
elle-même comme la statue de la fantaisie, surmontée
de boucles et de coques, qu'elle pratiquait dans sa che-
velure. Elle était en outre couverte de bijoux, de colliers,
de bracelets, de broches et de breloques. Elle portait
tous les éléphants, les numéros 13, les petits moulins,
les sabots, les tortues, les trèfles à quatre feuilles, les
fers à cheval, les cartes à jouer, et cet arsenal de niaiseries et de fétiches répandait autour d'elle un tintinnabule
incessant et irritant, comme son parfum, qui était, je
crois, l'œillet le plus provocant de l'Inde.

Je devais manœuvrer au milieu de ces déesses et faire
appel à toute ma diplomatie pour plaire à tout le monde.
M. Doucet m'avait dit : « Je vous mets là-dedans comme
on jette un chien à l'eau pour lui apprendre à nager.
Débrouillez-vous. » Et je me débrouillais.

Mon premier modèle fut un petit collet en drap rouge,
avec des bandes de drap découpé autour de l'encolure.
Il formait un revers du crêpe de Chine gris, dont il était
doublé, et se fermait sur le côté par six boutons d'émail.
On le vendit 400 fois. De belles clientes le voulaient

dans plusieurs couleurs. J'avais désormais des états de
service.

Un matin, je vis arriver dans sa voiture attelée de
mules, celle qui incarnait pour moi le génie, la grâce
et l'esprit de Paris : Réjane. Elle s'engouffra sous la
porte dans un grand froufrou de soie, et demanda
M. Doucet, qui vint à elle, beau comme un dieu. Elle
lui parla à l'oreille d'une pièce nouvelle, où elle était
ceci et cela, et M. Doucet, m'appelant, me mit immédiatement dans la confidence : on allait jouer *Zaza*.
C'était l'histoire d'une grande vedette de café-concert,
qui, après les débuts d'une carrière difficile, devait, dans
l'éclat de ses beaux jours, retrouver un ancien amant
à la porte de son music-hall. Elle devait porter un manteau catapultueux et voluptueux, capable d'impression-
ner et d'électriser, non seulement ce jeune homme, mais
toute la salle, et j'étais chargé de le faire. Je ne dormais
plus. Aucune de mes idées ne me paraissait assez belle,
assez digne de Réjane. Enfin, je fis un manteau. Il était
de tulle noir, voilant un taffetas noir qui avait été peint
par Billotey (un peintre éventailliste célèbre alors)
d'immenses iris mauves et blancs ; un énorme ruban de
satin mauve, et un autre de satin violet, courant à travers
le tulle, sertissaient les épaules et fermaient le manteau
sur le devant par un nœud savant. Toute la tristesse
d'un dénouement romantique, toute l'amertume d'un
quatrième acte, étaient dans ce manteau plein d'expression, et en le voyant apparaître, le public pressentait
la fin de la pièce... J'étais désormais consacré chez Doucet et dans Paris. J'avais passé la rampe sur les épaules
de Réjane.

Je vis défiler chez Doucet toutes les vedettes, toutes
les gloires de l'époque, Marthe Brandès, Théo, Mary
Garden, Reichemberg, et mon goût pour le théâtre était
vivement flatté quand nous avions la chance d'habiller
une revue comme celle qu'on donnait chaque année à
l'Epatant, rue Boissy-d'Anglas. Une année, il fallut
habiller le corps de ballet de l'Opéra en militaires du

Premier Empire. Je fus demander à Edouard Detaille des renseignements sur les uniformes des hussards de 1815, ces soldats qui portaient sur l'épaule la veste bordée d'astrakan, chamarrée de brandebourgs, et sur la tête les kolbachs avec des fourragères et des sabretaches. M. Doucet m'avait donné une introduction pour Edouard Detaille. Je le trouvai, peignant un tableau de bataille dans sa cour, où il y avait un canon, entouré d'agents de la Brigade centrale déguisés en artilleurs de l'Empire, qui lui servaient de modèles. Je lui dis le but de ma visite, et sans presque se retourner, il me débita par cœur les détails des couleurs de tous les régiments de hussards de 1815, sans oublier les passepoils et les filets. Puis il me montra son imposante collection de costumes, de sabres et de casques. Je rentrai chez moi en supputant l'intérêt des grandes spécialités et en mesurant la beauté d'une carrière mise au service d'une seule idée.

Les répétitions du Cercle de l'Epatant me comblaient de joie. Je voyais les vieux membres du Cercle s'empresser autour des danseuses, frapper à la porte des loges, glisser des fleurs et des billets dans les mains des valets. Caché dans un coin de la coulisse pendant le spectacle, je voyais M. Martel tenir le rôle d'un brancardier à Aix-les-Bains, et j'entendais Mily Meyer chanter les couplets écrits par le marquis de Massa :

> *Y avait un jour une écuyère*
> *Y avait un prince bavarois*
> *La belle n'était pas de pierre*
> *Le prince n'était pas de bois.*

Il s'agissait, je crois, des amours d'un souverain et de Cléo de Mérode.

Je ne peux pas décrire la maison Doucet sans mentionner M. de la Peña, qui fut longtemps une illustration de la maison. C'était un homme très élégant, mince, élancé, incisif et sec, comme Don Quichotte lui-même,

mais un Don Quichotte d'aspect riche et raffiné, avec
des grâces d'escrimeur et des gestes très démonstratifs.
Pincé à la taille (c'était l'époque des corsets) son veston
bouffait sur sa poitrine, et des mouchoirs immenses
en soie très fine jaillissaient de ses poches, colorés
comme des queues de perroquets. M. de la Peña portait
une petite barbe, d'un noir et d'une coupe impeccables,
et la raie au milieu de la tête jusque' dans le cou. Sa
silhouette méticuleuse et nette l'imposait à mon admiration. Il était Espagnol ; on le comprenait mal ; il
parlait avec volubilité et d'une voix nasale.

Je l'ai vu tourner autour d'une femme avec, dans les
mains, des rubans, des dentelles, des satins, des velours :
c'était comme une incantation, une danse des flammes,
une cérémonie rituelle, qui durait dix minutes, quelquefois deux heures, mais dont la femme sortait parée,
enrichie, sacrée comme une idole, car il déployait un
talent, une ingéniosité et une adresse prodigieux, qu'il
a encore, bien que la rigueur des financiers le tienne
éloigné du théâtre de la mode. Qui n'a pas vu La Peña
enrubanner de gestes prestigieux, épingler, draper, tail-
ler de ses grands ciseaux qu'il sortait de sa poche, dans
le feu de l'inspiration, des satins, des taffetas, des tulles,
des mousselines, ne peut comprendre ce que sont la joie
et l'éréthisme d'un créateur de la couture.

J'étais très frappé par la maestria autant que par le
chic de M. de la Peña, mais ce qui me séduisait surtout,
c'était la simplicité raffinée et la richesse naturelle de
l'élégance de M. Doucet. En l'observant, je me demandais d'où lui venaient cette allure noble et cette grâce
hautaine. Quand il portait un costume bleu foncé, on
eût dit qu'il avait été teint pour lui-même avec un bleu
spécial, et ses cravates étaient choisies et roulées comme
si l'étoffe eût été tissée par des fées. Je me promis d'obtenir l'adresse de son tailleur et je la trouvai un jour dans
le col d'un de ses pardessus. C'était Hammond, place
Vendôme. Je passai bien des fois devant la boutique
de ce maître anglais, sans oser en franchir la porte.

Un jour que je me sentais d'humeur cavalière, et poussé par le besoin d'un habit, j'entrai et je commandai un habit, non sans toutefois en demander le prix, par crainte d'une surprise fâcheuse. On me dit le chiffre de 1 800 francs..., et je donnai ma commande. « Quand devrai-je venir essayer ? » ajoutai-je (car j'étais pressé d'étonner mes amis).

« Nos vêtements sont faits à Londres, me dit-on, et le vôtre ne sera prêt que dans dix-sept jours. »

Je pris rendez-vous et me retirai, en songeant qu'on avait tort de ne pas s'adresser plus souvent aux grandes maisons qui, après tout, n'étaient pas sensiblement plus chères que les autres, et revins dix-sept jours après. Plein d'émotion dans le salon d'essayage, je vis arriver mon habit, aux mains du tailleur classique, qui portait le centimètre autour de son cou. Je m'étonnai qu'on ne m'essayât pas le pantalon. Il appela le vendeur qui me dit : « Le pantalon, monsieur ? Quel pantalon ? Vous n'avez pas commandé de pantalon ni d'ailleurs de gilet. »

Victime de la surprise que je redoutais, je fus bien obligé de commander l'un et l'autre pour avoir un ensemble convenable.

Chez Doucet, on créait chaque semaine des modèles nouveaux. Les belles d'alors les exhibaient aux courses, tous les dimanches, et se refusaient d'admettre qu'elles pussent paraître un jour dans une toilette déjà remarquée. On se rappelle leurs noms : Liane de Pougy, Emilienne d'Alençon, la belle Otero, alors fêtées par les grands-ducs et les souverains à la mode ; puis Nelly Neustratten, Marthe Helly, puis Germaine Thouvenin, Marguerite Brésil, et ensuite Gaby de Naval et Liane de Lancy, etc. Naturellement, elles attendaient la dernière minute pour commander ou pour essayer la robe qui devait faire sensation le dimanche, et il n'était pas rare qu'on l'improvisât seulement le samedi soir, ou, comme je l'ai vu faire, qu'on la bâtît hâtivement sur elles le dimanche avant midi.

J'aimais rester le samedi soir dans les salons de Doucet, à l'heure où l'on préparait les livraisons du lendemain. J'avais ainsi sous les yeux, et même entre les mains, toutes les robes qui devaient amuser Paris vingt-quatre heures plus tard. Je les examinais en connaisseur, je les palpais et j'y prenais un plaisir extrême. Le lendemain, j'allais moi-même aux courses et j'étudiais les démarches et les attitudes des élégantes. Je songeais à de nouvelles merveilles, plus imprévues, plus surprenantes.

Un jour, M. Doucet me fit demander à son bureau. C'était chaque fois pour moi l'occasion d'une émotion nouvelle et d'une grande fierté. Généralement, il me demandait mes nouveaux modèles, se livrait à des critiques et à des corrections, qui m'étonnaient toujours par leur sûreté et leur clarté. Si je lui montrais un petit costume tailleur, il le trouvait trop sec, attrapait sur une table voisine un morceau de foulard à pois, chiffonnait une cravate et l'appliquait avec un geste distingué, au point précis où elle devait donner une note gaie et décorative. Puis, il faisait passer un des pans dans une boutonnière, et cela donnait à mon ouvrage une expression spirituelle sans laquelle il n'était rien.

Là, j'ai vraiment senti mon maître et je m'honore encore d'avoir été son élève. Ce jour-là, il ne me demanda pas mes modèles ; il m'appelait pour me dire qu'il était content de moi, pour me donner des encouragements et m'offrir mon premier salaire. Il était de 500 francs par mois. C'était une somme énorme à l'époque, pour un jeune homme de mon âge, et quand je contai cet événement à mon père, le soir même, épiant dans ses yeux l'effet que j'allais y produire, mon père refusa simplement de me croire :

— 500 francs à un jeune homme qui ne savait rien et qui avait tout à apprendre... Du reste, ajouta-t-il, je suis bien tranquille, on ne te les donnera pas !

Je lui répliquai :

— Tu te trompes, je les ai touchés.

— Eh bien, fais-les voir ! me dit-il.

Et voilà où commence le drame, car au lieu de sortir de ma poche cinq billets bleus, je lui montrai les boutons de manchettes que j'avais achetés en quittant la maison Doucet chez un bijoutier de la rue de la Paix. Je les avais choisis dans le genre de ceux que j'avais vus à M. de la Peña ; c'étaient des cabochons d'opale. Je les porte encore, en souvenir de l'algarade que je reçus de mon père ce jour-là : « je n'avais aucun souci d'économie... je finirais dans la misère... je ne prévoyais pas l'avenir..., etc. » Il avait peut-être raison...

Je me mis au travail avec plus d'ardeur que jamais, stimulé par la faveur de M. Doucet. Je composai toute une collection de costumes, qui comportaient des jaquettes et des jupes serrées à la taille. Les femmes les portaient sur des corsets, qui étaient de véritables gaines, des armatures, dans lesquelles elles étaient incarcérées depuis la gorge jusqu'aux genoux ; la jupe devait former par terre un certain nombre de godets. J'ai encore les dessins que je faisais à cette époque-là, et je n'oserais plus les montrer aujourd'hui. Pourtant, ils plaisaient. Les commissionnaires se les arrachaient.

Les commissionnaires n'étaient pas comme aujourd'hui, une association organisée de pirates et de copistes, qui se concertent pour n'acheter qu'une robe entre dix personnes et se prêter les modèles les uns aux autres, imposant leur goût dans les maisons parisiennes et dictant les volontés de la mode américaine, toujours stérile et moutonnière. Je vous parle de l'époque où ils venaient en grand nombre assister à tous les défilés des grandes maisons. Ils ne cherchaient pas à connaître les contrefacteurs. Deux fois par semaine, des bateaux les déversaient régulièrement au Havre, et sans perdre une minute, ils se précipitaient rue de la Paix, chez Worth, chez Paquin, chez Doucet ; ils assistaient sagement, honnêtement, pieusement, au spectacle de la collection, puis ils remettaient toujours des commandes et ne cherchaient pas à s'esquiver en promettant de revenir. Beau-

coup d'entre eux ont pourtant fait fortune à cette époque. Je me rappelle les grandes figures de Mme Hagué,
de Mme Benson, qui était une contremarque de Delafon
et de Miss Mary Walls. Je leur suis encore reconnaissant
d'avoir manifesté de l'intérêt pour mes hardiesses. Il y
avait aussi des clientes particulières, comme Mrs Bald-
win, Mrs Langtry, la belle favorite du plus élégant des
souverains, et de jolies Parisiennes, comme Mme de La
Villeroux, Mme Gaston Verdé de l'Isle, et tant d'autres.

Il y avait aussi des numéros comiques, comme cette
baronne de H... qui avait l'air d'une ancienne écuyère
ou d'une ancienne blanchisseuse, et qui traînait à sa
suite le baron et ses petits chiens loulous de Poméranie.
Semblable à un dessin de Caran d'Ache, elle se présentait avec autorité et dévisageait tout le monde effronté-
ment. Quand elle essayait ses robes, dans le petit box
réservé à cet usage, elle avait pour son tailleur des
sourires complices. Elle cherchait en toutes circonstances un moyen d'attaquer et d'humilier le baron, qui
contenait les petits chiens de ses deux bras. S'il en
laissait glisser un, elle esquissait le geste d'une gifle.
Elle le considérait et elle l'observait dans la glace avec
un visage accablé, et se retournant vers lui, pleine de
douceur et de sollicitude, elle lui disait : « Mouche-toi !
Henri », et le baron, posant les chiens, se mouchait.
Un jour, elle nous demanda d'aller essayer chez elle,
le tailleur et moi. Le tailleur était un Hongrois, nommé
Dukès, qui eut son heure de célébrité, mais dont je ne
compris jamais le français. Elle nous reçut dans sa
chambre, sous le contrôle passif du baron, à qui elle dit
tout à coup : « Va donc chercher des cigares pour ces
messieurs ! » Le pauvre homme partit à petits pas, en
traînant les pieds, qu'il avait gâteux, et revint quelques
instants après avec deux cigares. Comme il nous les
tendait, elle les fit voler en l'air d'un revers de main,
en lui disant : « Pas ceux-là, idiot, c'est bon pour toi ! »
Et elle alla elle-même chercher deux boîtes de cigares
qu'elle disait meilleurs, et elle en remit l'une au tailleur

et l'autre à moi-même, avec un sourire dépourvu de bonté. Quand nous partîmes, je jurai, dans mon cœur, qu'aucune femme ne me traiterait jamais de la sorte, et que je veillerais toute ma vie à me faire respecter du beau sexe.

On commençait à parler de moi et à distinguer mes créations sous mon nom. Je prenais conscience de ma personnalité. Un jour qu'il causait familièrement avec moi, M. Doucet me dit :

« Mon cher ami, je ne vous vois pas sortir assez. Je vous ai donné de jolis appointements, c'est pour vous permettre de vous faire un peu une petite notoriété parisienne. Si je m'aperçois que ce n'est pas assez, je vous aiderai. Je voudrais vous voir fréquenter les premières des théâtres, aller aux courses, dans les endroits chics, avec une petite amie, un peu gentille, que vous habilleriez à votre idée, et à qui vous donneriez un genre. On vous conseille peut-être, chez vous, d'acheter de la rente, mais ce n'est pas ce qu'il faut faire quand on veut devenir un couturier. Vous en achèterez plus tard. »

Ce conseil me plongea dans une grande perplexité. Je n'attendais qu'une occasion pour me déranger, et à Paris, elles ne font jamais défaut. J'eus le courage de répéter un jour à mon père les propos de M. Doucet et, bien qu'il eût voulu paraître estomaqué et scandalisé, il comprenait très bien, au fond, que la profession de couturier n'est pas incompatible avec une certaine expérience des femmes, et je vis qu'il acceptait le sacrifice de ses opinions.

A quelques jours de là, une surprise m'attendait. Une cliente de la maison Doucet me fit passer une lettre ; elle me demandait de la rejoindre au Café de Paris, dans un salon du premier, où elle avait une communication urgente à me faire. C'était une actrice américaine qui chantait à New York des opérettes viennoises. Je la trouvai dans ce décor somptueux, bien connu de tous les grands gourmets du monde entier ; il me semblait, quand je traversais la grande salle du bas, que tous les habitués me repéraient et me regardaient. Je montai l'escalier quatre à quatre pour me dérober à cette impression. Je trouvai Mrs A... K... à la porte du salon, souriante et belle dans un ennuagement de mousseline. A côté d'elle, sa femme de chambre négresse, avec un madras sur la tête, souriait à grandes dents heureuses. Ma belle cliente, que j'avais vue la veille dans mes salons sans me douter de la faveur qu'elle me réservait, m'attira à elle familièrement et m'embrassa sur la bouche avec passion, avant de m'inviter à déjeuner. La négresse disparut discrètement, et je connus toutes les ivresses de Joseph dans les bras de Mme Putiphar. Ma nouvelle amie m'engagea à la suivre à Trouville, qui était alors la station à la mode et le centre de la vie parisienne d'été (car Deauville ne fut créé que beaucoup plus tard) ; je lui confiai que je ne pouvais faire cette dépense ; elle me conseilla de m'adresser à M. Doucet en lui représentant l'intérêt qu'il y avait pour lui à me faire suivre les élégances des grandes épreuves sportives. Puis elle disparut, en oubliant sur la table du restaurant son petit poudrier en or incrusté de diamants. Je demandai l'addition ; on me répondit qu'elle était payée. Je ramassai le poudrier pour le lui remettre à Trouville, où j'arrivai le lendemain.

Inconscient du rôle un peu risqué qu'on me faisait jouer et, ivre de fierté, j'arrivai à l'hôtel de Paris, le plus beau, le plus cher, et quand je dis mon nom, on me répondit : « Parfaitement, monsieur, il n'y avait plus de chambre et nous vous avons confectionné un appartement dans un couloir avec des paravents. Vous n'aurez pas vue sur la mer, mais vous serez très bien. » Je montai à l'étage, et je trouvai que j'étais comme par hasard installé précisément devant la porte de Mrs A... K... Le temps de passer un smoking, j'étais à une petite table pour dîner, et, à quelques mètres de moi, je découvrais ma belle amie, entourée d'élégances et de richesse, et ayant à sa droite le duc de Malbrough et à sa gauche le prince de Furstenberg. Ce n'était pas encore le moment de lui rendre son poudrier, à l'intérieur duquel j'avais trouvé trois billets de mille francs pliés en huit. Je n'ose pas m'étendre sur les détails de cette aventure, qui a parfumé ma jeunesse et qui m'a appris l'anglais.

Pendant quatre ou six mois, je menai une vie désordonnée, jouant tour à tour les Roméo et les Chérubin. Comme j'habitais Billancourt à cette époque, je venais à bicyclette tous les soirs avenue d'Iéna, où vivait ma belle, dans un immeuble magnifique. Le concierge me faisait les gros yeux quand il me voyait déposer mon vélo (on disait alors « un vélocipède ») poussiéreux au pied de son escalier. J'arrivais chez elle ; la négresse, souriante et gloussante, me saisissait pour me déshabiller et me passer une chemise de nuit qui ne m'appartenait pas et qui portait sur le cœur un F magnifiquement brodé, surmonté d'une couronne héraldique. Je n'ai jamais revu de chemise de nuit semblable. Elle était d'une toile de soie bleu sombre avec de gros pois blancs. Les chemisiers d'aujourd'hui sont des enfants qui ont laissé perdre le secret de cette merveille.

L'aimée arrivait. Dois-je avouer qu'elle était quelquefois accompagnée d'un grand personnage ? Quelques chuchotements avec la négresse, et elle versait au monsieur un breuvage noirâtre qui pouvait bien être quelque cordial médoc. Puis, elle se mettait au piano, chantait deux couplets pour réjouir son prince, et le poussait doucement vers la porte sans qu'il résistât. Alors, mais alors seulement, elle se jetait dans mes bras... Je ne sais pas comment je vous ai raconté cette histoire si peu avantageuse pour ma réputation. Je demande seulement au lecteur d'être indulgent pour mon jeune âge.

Ces escapades m'avaient fait prendre le goût de l'indépendance, et avaient affirmé les droits de mon individu. J'eus des scènes fréquentes avec mon père ; nous ne nous entendions décidément pas, d'autant plus que l'affaire Dreyfus avait brouillé nos cartes. Mon

père avait horreur des juifs ; moi, je ne les connaissais
pas encore, et naturellement j'étais dreyfusard. Cela fut
l'occasion de collisions assez pénibles qui m'obligèrent
à diverses reprises à quitter la maison de mes parents.
J'emportais alors mes livres et tout ce qui m'appartenait,
et j'accrochais chez mes amis les premiers tableaux
que j'avais achetés, notamment ceux du vieux peintre
Desbrosses, élève de Chintreuil, dont j'avais quatre
toiles que je payais difficilement avec des billets men-
suels, car j'étais déjà collectionneur, comme M. Doucet
lui-même.

J'allais bientôt quitter aussi la maison Doucet. Les
prétextes ne manquaient certes pas. J'avais dessiné
pour ma belle amie des toilettes et des modèles nouveaux que je crayonnais au cours de nos conversations
à table ou en voiture. Elle se plaignait de la cherté des
grandes maisons. Elle avait porté mes dessins chez une
petite couturière, où elle faisait exécuter ses robes.
Cela vint aux oreilles de M. Doucet, et ce fut un de ses
arguments pour se priver de mes services.

Il en avait un autre : c'était l'époque où on répétait
l'Aiglon, et j'avais dessiné la plupart des costumes,
notamment celui de Sarah Bernhardt, tout blanc, avec
l'écharpe nouée à la ceinture, qui consacra le personnage. J'étais à ce titre en rapports fréquents avec
Mme Sarah Bernhardt, et je me crus autorisé un soir
à franchir la porte de la salle de spectacle où se répétait
l'Aiglon. A la faveur de la presque obscurité, je me
glissai dans les fauteuils avec un ami qui m'accompa-
gnait. Autour de moi, je distinguai quelques personnages abîmés dans les stalles. Je ne pouvais pas les
reconnaître. J'entendis un acte entier de la pièce alors
inconnue de tous, et quand vint le moment de Wagram,
celui où défilaient les troupes, réduites à quelques figu-
rants, je me tournai vers mon ami et lui fis, à voix
basse, une réflexion qui soulignait le grotesque de cette
revue. Mon observation fut entendue, et je sais qu'on
en tint compte. Mais elle fit remarquer ma présence,

on arrêta la répétition, on en fit part à Mme Sarah Bernhardt. M. Rostand se plaignit à elle qu'il y eût des étrangers dans la salle. Mme Sarah Bernhardt se plaignit à M. Doucet de mon indiscrétion, qui fut aussi une des causes de ma disgrâce.

Une seule chose m'inquiétait : l'idée d'avoir fâché un homme à l'opinion de qui je tenais et d'avoir démérité de son estime. Heureusement, je sus qu'il ne m'en voulait pas, et j'eus depuis plusieurs témoignages de l'attachement qu'il me gardait.

III

AU RÉGIMENT

Deux mois après, je devais remplir mes obligations militaires, et me mettre pour une longue année au service de mon pays. Tout le monde faisait alors trois ans de service, mais il y avait toute une catégorie de dispensés. Les uns soutiens de famille, les autres appartenant à certains instituts. J'étais moi-même ancien élève des Langues orientales vivantes, où on apprenait le grec moderne, le tamoul, l'hindoustani, le malgache, le javanais, l'arabe, et à ce titre j'accomplissais une période militaire limitée à dix mois. Cela me parut très dur. On ne saute pas radicalement d'une vie vouée au luxe et à l'élégance à l'existence de vulgarité et d'ennui qui est celle des militaires.

Quand j'arrivai au régiment, je fus logé dans les baraquements du Champ-de-Mars à Rouen. Je choisis mon lit tout près de la porte, pour avoir l'impression que je touchais à la liberté. On avait alors des lits faits de trois planches sur un pied en fer. J'y dormais bien, mais dès le premier matin, quand le clairon m'éveilla à 5 h 30, dans les ténèbres, ma première pensée fut pour ma mère, ma maison, mes chiffons et tout l'idéal auquel j'avais dû m'arracher. Je compris immédiatement la vanité de la vie militaire, car, comme j'étais le premier dans l'ordre des lits, c'était mon tour d'allumer la lampe et de balayer ; le caporal criait : « L'homme de chambre, allumez la lampe, balayez sous les lits, et allez au jus ! » Je lui fis remarquer poliment qu'il n'y avait plus de lampe, mais il avait deux ans de caserne et il me répondit clairement : « Je m'en fous ! Allumez la lampe ! » C'était une révélation des traditions ancestrales qui ont toujours fleuri dans ce milieu pittoresque.

Quelque temps après, tous les dispensés (les exemptés de deux années) étaient réunis dans un peloton spécial, à la caserne Pélissier. Je me trouvais dans un milieu plus filtré : mes camarades s'appelaient Trarieux, de Vogüé, de Lesseps, Gillou, Alcan, P. Istel, O. Jalu, etc. Un jour que nous avions fait une longue marche sous la pluie, nous rentrions harassés et trempés, lorsqu'on nous cria de descendre au rapport en tenue et cirés. Mais comment cirer des chaussures pleines d'eau et de boue ? Tandis que les meilleurs soldats s'acharnaient à frotter leurs godasses, je proposai que nous descendions dans l'état où nous étions, et, ajoutai-je : « Le lieutenant verra bien que ça n'est pas mauvaise volonté de notre part. » J'avais compté sans l'esprit militaire. Nous descendîmes, les uns cirés, les autres ayant écrasé les mottes de terre sur le cuir de leurs chaussures.

Quand la compagnie fut rassemblée, le lieutenant m'appela et me fit sortir du rang tout seul. Il me dit : « Soldat Poiret, on vient de me répéter un propos que vous avez tenu dans la chambrée, et plus j'y réfléchis, plus je trouve que votre cas est scabreux. Vous avez été entendu disant : « Si nous nous entendions tous pour ne pas nous cirer, on ne nous dirait rien. » Ai-je besoin de vous souligner l'incongruité et le côté scandaleux de ces paroles ? En d'autres termes, cela signifie que si les soldats pouvaient s'unir pour résister à un ordre, le chef serait désarmé. Vous avez essayé d'introduire le droit de grève dans l'armée. C'est infiniment grave ; et je

ne peux que vous frapper d'une punition exemplaire.
Je me demande où cela peut s'arrêter. Pour ma part,
je vous mets huit jours de salle de police, et je ne serais
pas surpris que le commandant surenchérît, et je pense
que le colonel, qui n'aime pas les fortes têtes, ne man-
quera pas de vous saler. » Et il se perdit dans des
développements relatifs au droit de grève, à l'anarchie.
Il s'appelait Chauveau-Lagarde ; un de ses ancêtres
avait mérité l'honneur de donner son nom à une rue de
Paris.

A partir de ce jour, je doutai d'être un bon citoyen
et ma conscience professionnelle de soldat fut ébranlée.
J'avais perdu la foi et l'espoir de gagner des galons
par mon mérite, et acquis la certitude que les militaires
et moi, désormais, nous ne pouvions nous comprendre.
Je devins un soldat médiocre, et je tirai au flanc autant
qu'il m'était possible. A l'infirmerie, dont je devenais
un habitué, j'affichais des maladies singulières ; ma
température montait dès le départ du major et atteignait
des chiffres inquiétants, pour redevenir normale dès
qu'il paraissait. Inquiet de ces symptômes, le major ne
tarda pas à diagnostiquer le paludisme, et m'envoya
à l'hôpital. Là, je connus la purge réglementaire, l'uniforme ridicule, comportant d'immenses savates, un
pyjama flottant de bure marron bordé de rouge, et un
bonnet de coton. C'était un peu le costume des prisonniers. J'étais dans une salle qui abritait surtout des
tuberculeux. Mon voisin me réveilla dans la nuit pour
me demander des cigarettes. Il se plaignait de picote-
ments dans la gorge et pensait les apaiser en fumant.
C'est le contraire qui se produisit. Il eut de violents
crachements de sang et expira deux heures après.

Un dimanche matin, j'assistai, avec la bonne sœur
qui surveillait la salle, à la messe qu'on disait dans
une chapelle voisine, et j'en fis une alliée qui m'aida
à obtenir ce que j'étais venu chercher : un congé de
convalescence.

Le médecin-chef passait chaque matin avec ses internes, à 6 heures. Il leur montrait ma rate et mon foie, il voulait y voir la preuve d'une fièvre intermittente contractée dans une campagne malsaine ; pour ne pas le contrarier je dus lui dire que j'avais habité les environs de Rome, que je savais marécageux. « Ah ! Voyez-vous ! » triomphait-il, et il ajoutait : « Si ça continue, je vais lui faire une ponction à la rate. » Et c'est pourquoi dès le lendemain, quand il vint faire sa tournée, il me trouva debout, et quand il me demanda de mes nouvelles, je lui dis que je me sentais beaucoup mieux. En foi de quoi, il me signa un congé de convalescence de plusieurs semaines, qui, prolongé à Paris, me donna le moyen de me remettre au dessin et à l'étude de ce qui me plaisait : l'élégance des femmes.

Quand je revins au régiment, on parlait de célébrer une fête pour le centenaire de Valmy, je crois, ou quelque chose dans le même genre, et je proposai à mes camarades d'écrire une revue en trois actes, où l'on verrait défiler tous les éléments de la vie militaire. Dans la cour du quartier, un théâtre fut construit avec des moyens de fortune. J'eus la main haute sur la troupe, à laquelle chacun voulait appartenir pour être dispensé d'exercices. Sous les yeux du préfet de Rouen et du général commandant la place, on joua la revue. Le sujet était : l'Armée française (personnifiée par votre serviteur), accueillant un dispensé, le jeune comte du Bouton de la Bretelle, et l'initiant aux charmes de la vie militaire : le rata, la salle de police, Jules, etc. Toutes ces entités, célèbres alors, venaient chanter leur couplet. Pendant l'entracte, le général, qui était très parisien et qui s'appelait Gallimard, visitant les coulisses, me félicita, m'embrassa et m'offrit un verre de champagne que je bus sur ses genoux, comme une chanteuse légère. J'avais troussé quelques couplets patriotiques qui me raccommodaient avec le commandement, et je n'étais plus considéré comme un anarchiste.

Je n'irai pas jusqu'à dire que c'était le bon temps, mais il m'en reste pourtant quelques bons souvenirs ;

j'en veux rappeler un, c'est celui du soldat de C..., qui,
en raison de son talent de pianiste, était tapeur breveté
du général et qui, quand il fut admis dans son intimité,
devint professeur de piano de ses filles et le fiancé de
l'une d'elles ; dès cet instant, on ne le vit plus à la
caserne. Il menait une existence de tourtereau et rou-
coulait à toute heure ; ou bien on le rencontrait en ville,
chaussé des bottes du général avec leurs éperons d'or,
sur le cheval même du général et suivi d'un ordonnance
du général. Il revenait de sa promenade en forêt et
rapportait des fleurs à sa belle. Le jour de la mobilisation, pianiste et fiancé disparurent pour toujours,
de C... regagna l'Angleterre, où il habitait, et où il
devint depuis, je l'ai appris, le mari de Mme Steinheil,
qui sortait de prison.

IV

CHEZ WORTH

A la fin de mon service militaire, je songeai à reprendre mes occupations habituelles et je voulus renouer avec la couture. Le meilleur moyen de me remettre en contact avec les grandes maisons était de redevenir dessinateur. Je retrouvai mes anciens clients, et notamment M. Worth. La maison Worth était à cette époque dirigée par les deux fils du grand couturier qui avait habillé l'impératrice Eugénie. Ils s'appelaient Jean et Gaston. C'est Gaston qui me fit la proposition suivante :

— Jeune homme, vous connaissez la maison Worth, qui, de tout temps, habilla les cours du monde entier. Elle possède la clientèle la plus élevée et la plus riche, mais aujourd'hui cette clientèle ne s'habille pas exclusivement avec des robes d'apparat. Les princesses prennent quelquefois l'autobus, et vont à pied dans la rue. Mon frère Jean a toujours refusé de faire une certaine qualité de robes, pour laquelle il ne se sent pas de goût, des robes simples et pratiques, qui pourtant nous sont demandées. Nous sommes dans la situation d'un grand restaurant, où on ne voudrait pas servir autre chose que des truffes. Nous avons donc besoin de créer un rayon de pommes de terre frites.

Je compris immédiatement l'intérêt qu'il y avait pour
moi à devenir le friteur de cette grande maison, et
j'acceptai aussitôt la situation qu'on m'offrait. Elle était
d'ailleurs brillante, et je commençai à faire des modèles
sévèrement appréciés des vendeuses, qui me rappelaient
les Parques rencontrées chez Doucet, mais ils plaisaient
au public.

Je connus un genre de robe que je n'avais jamais
rencontré jusqu'alors. Je voulus me rendre compte de
ce qui avait été fait avant moi, et plusieurs fois j'exa-
minai tous les modèles en cours. Je feuilletai même les
albums qui disaient les exubérances du père Worth, couturier des Tuileries. Ils étaient pleins d'échantillons et
d'aquarelles qui en disaient long sur le goût de la cour
de l'impératrice. Je me rappelle notamment une robe
crinoline dont tout le bas était de fils télégraphiques,
formant des girandoles, autour desquels on voyait voler
et se poser tour à tour des hirondelles empaillées...

Une autre robe de la même époque était garnie de
gros escargots brodés. Je ne cherchai pas à me rapprocher du genre de la maison. Je dois dire qu'il avait bien
évolué, et que les robes qui sortaient des mains de Jean
étaient des merveilles d'art et de pureté. Il travaillait
beaucoup d'après les tableaux des maîtres anciens, et
je l'ai vu tirer des toiles de Nattier et de Largillière
des idées magnifiques. Il était entouré de femmes très
adroites et d'une, en particulier, qui drapait les corsages
comme au Grand Siècle, dans des satins unis ou brochés
qui se tenaient comme des armures, et dessinaient à la
taille des cassures heureuses, trahissant la souplesse des
hanches. Il savait aussi faire une manche d'une longue
écharpe de tulle retenue au-dessus du coude par un
rang de diamants, terminé par deux glands d'émeraude.
(Car il ne concevait pas qu'on pût faire une robe dépourvue d'opulence.)

Je comprends très bien pourquoi mes petites élucubrations d'homme de la rue lui paraissaient misérables
et miteuses. M. Jean Worth n'était pas très satisfait

d'introduire dans sa maison un élément qui, à son avis, l'abaissait. Il ne m'aimait pas beaucoup, parce que je représentais à ses yeux l'esprit nouveau, dans lequel il y avait une force (il le sentait) qui devait démolir et emporter ses rêves. Comme je lui montrais un modèle d'une petite robe tailleur, je le vis pâlir soudain, comme s'il allait se trouver mal (il était extraordinairement nerveux) et il prononça devant son aréopage ordinaire de courtisans et d'obséquieux les paroles suivantes :

— Vous appelez cela une robe ? C'est un cloporte.

Pour l'empêcher de développer sa pensée, j'allai cacher ma honte dans mon bureau. Mais ce cloporte fit son chemin et se vendit bien des fois. Il dut y avoir entre les deux frères des explications orageuses à mon sujet. Je me sentais haï par l'un, soutenu par l'autre. Gaston Worth, qui ne tenait compte que des résultats commerciaux, prévoyait l'époque actuelle et la menace qui pesait déjà sur les cours étrangères.

Un jour, la maison s'emplit de velours cramoisi, on ne parlait plus que de « crimson ». C'était la couleur des manteaux d'apparat à la cour d'Angleterre, et on annonçait le couronnement prochain d'Edouard VII. M. Jean Worth me montra avec fierté une notice reçue de la cour d'Angleterre, indiquant l'étiquette. Toute la noblesse portait, suivant ses titres et son ancienneté, des traînes plus ou moins longues et des rangs d'hermine plus ou moins nombreux. Pendant trois mois, on ne fabriqua que des manteaux de cour. Il y en avait dans toutes les pièces de la maison, car on ne pouvait songer à travailler sur des tables ces velours fragiles qui devaient être tissés selon une tradition séculaire, et qui se seraient cassés ou flétris si on les eût manipulés. Ils étaient donc attachés sur des mannequins de bois et leur traîne était clouée sur le parquet ; des escouades d'ouvrières tournaient autour d'eux, empressées et méti-culeuses, comme des archidiacres autour d'une relique. M. Worth montrait à tout le monde ces chefs-d'œuvre hiératiques, qui lui paraissaient représenter le comble de la beauté. Il exultait. J'avoue, à ma honte, que je n'ai jamais compris ce qu'il y trouvait d'admirable. Je comparerais ces engins conventionnels aux draperies rouges, frangées d'or, que tend la maison Belloir, au-dessus des grands mariages ou des distributions de prix, dans les cérémonies municipales.

Un jour, M. Worth regardait par la fenêtre, dans la rue de la Paix ; il aimait voir le mouvement des voitures qui lui apportaient la fleur du monde entier. Cette habitude lui était familière. Tout à coup, il se retourna, comme mû par un ressort, en disant :

— Mesdames, la princesse Bariatinsky !

Et je vis que son cœur battait plus fort.

Toutes les vendeuses se levèrent d'un seul mouvement. On rangea les chaises le long du mur, comme pour une revue, et tout le monde se porta vers l'arrivée de l'ascenseur. De tous les couloirs, il sortait du personnel, qu'on avait prévenu en hâte. Toute la maison était sur le pont, en file indienne, devant la porte, et M. Worth étouffait de la main les aboiements du petit chien qu'il tenait sous son bras, et qui, devant ce remue-ménage, voulait prendre part à l'allégresse générale. J'étais au bout de la file, curieux de voir la belle princesse qui causait cette sensation. L'ascenseur n'en finissait pas de monter. Il charriait sans doute un poids lourd. Quand il arriva à l'étage, je fus déçu de ne trouver à l'intérieur qu'une sorte de petit curé bedonnant, vêtu de noir, à la figure congestionnée, arqué sur deux cannes et fumant un gros cigare. Tout le monde s'inclina ou fit une génuflexion. M. Worth était prosterné. La princesse, d'une voix assurée, lui dit avec le plus parfait accent russe :

— Worth, fais-moi voir tes confections.

C'est ainsi qu'elle appelait les manteaux.

M. Worth la fit asseoir sur plusieurs chaises, tandis que les mannequins s'empressaient, et j'eus l'honneur de montrer à la princesse un manteau que je venais de finir et qui était alors une nouveauté. Il paraîtrait banal aujourd'hui, et presque passé de mode, mais on n'en avait pas encore vu de semblable. C'était un grand kimono carré en drap noir, bordé d'un biais de satin noir ; les manches étaient larges, jusqu'en bas et finissaient par des parements de broderie comme les manches des manteaux chinois. La princesse eut-elle une vision des Chinois, qui avaient pour la Russie un visage ennemi ? Vit-elle Port-Arthur, ou autre chose ? Je ne sais, mais elle s'écria :

— Ah ! Quelle horreur ! Chez nous, quand il y a des manants qui courent après les traîneaux et qui sont ennuyeux, on leur fait couper la tête, et on les met dans des sacs pareils à ça...

Je me sentais déjà la tête dans le sac. Je disparus, découragé et désespérant de plaire jamais aux princesses russes.

Peu de temps après, une occasion se présentait pour moi de faire dans Paris les robes que j'aimais, pour les femmes que j'estimais le plus. Un local, rue Auber, allait se trouver vacant. Une vendeuse d'une maison voisine allait se trouver libre également. Je commençais à sentir pousser mes ailes, j'avais suivi le conseil de M. Doucet et j'avais une jolie maîtresse, très remarquée pour l'élégance dont je la parais. Je tenterais ma chance.

J'habitais alors Auvers-sur-Oise ; j'y avais loué une maisonnette, type du petit castel de banlieue, où je menais une vie indépendante et fantaisiste. Mon petit jardin s'étendait jusqu'à l'Oise, où je pouvais pêcher à la ligne le matin avant de me rendre à mon travail. J'avais déjà tous les défauts qui m'ont suivi dans l'existence, et qui m'ont toujours été plus précieux que mes qualités. J'étais dépensier, j'aimais la bonne chère. Ma petite amie, une Alsacienne, avait beaucoup de goût pour la cuisine. Je me rappelle qu'elle quittait son lit à cinq heures du matin pour mettre mariner les hors-d'œuvre ou le garenne, qui devaient être prêts pour midi. Elle préparait les anchoyades et les filets de hareng, et quand elle venait se recoucher elle apportait

avec elle les fraîches odeurs du thym du matin, du
cerfeuil et de la ciboulette. Cet humble souci de maîtresse de maison ne l'empêchait pas de porter la toilette
avec beaucoup d'esprit. Je me rappelle un costume
de drap noir, avec une petite pèlerine noire qui s'arrêtait
aux épaules, comme la tunique de Werther. Elle le portait avec un petit bicorne noir surmonté d'une tête de
coq blanche à crête rouge. C'était un délice, et je crois
que ce serait encore joli aujourd'hui. Toutes les femmes
l'admiraient et me faisaient comprendre qu'elles l'eussent acheté si je l'eusse vendu. J'arrivai d'Auvers, un
matin, dans le bureau de M. Gaston Worth, et je lui
dis :

— Vous m'avez demandé de créer un rayon de pommes de terre frites. Je l'ai fait. J'en suis satisfait, vous
aussi j'espère. Mais cela répand dans la maison une
odeur de friture qui paraît incommoder beaucoup de
personnes. Je songe donc à m'établir dans un autre
quartier et à faire des frites pour mon compte. Voulez-
vous me payer ma poêle ?

M. Worth sourit et me dit qu'il comprenait mon
impatience et me félicitait de mon initiative, mais qu'il
ne pouvait songer à s'intéresser à une autre affaire que
la sienne, et, avec la meilleure grâce du monde, il me
souhaita bonne chance.

V

MES DÉBUTS DE COUTURIER

Il y avait au numéro 5 de la rue Auber, au coin
de la rue Scribe, un local qui est aujourd'hui la moitié
de la boutique de Kirby-Beard. Il appartenait à un
tailleur qui n'avait pas réussi. Cela ne m'effraya point.
Je résolus d'y installer mon affaire. Mon père, qui
aurait pu faire obstacle à mon élan, n'était plus là pour
me calmer. Ma mère vit dans mes yeux le feu de l'enthousiasme qui engendre le succès ; et elle m'avança
cinquante mille francs. C'est avec ce petit pécule que
j'ai fait venir tout l'argent que j'ai gagné depuis, et
aussi celui, bien plus important, que j'ai perdu. Huit
jours après, la demi-boutique lamentable où j'étais
entré était devenue pimpante et gaie. Oh ! je n'avais
pas fait de folies. Mon installation était sommaire.
J'avais dû garder, par économie, l'affreux tapis que
je reverrai toujours, semé de grosses roses rouges, sai-
gnantes comme des biftecks. Mais le public n'avait
d'yeux que pour mes robes, ou feignait de ne pas voir
le tapis. J'étais seul à en souffrir. Des étalages bien
vivants rafraîchissaient la vue des passants. Les Parisiens de cette époque se rappelleront s'être arrêtés devant mes fenêtres pour y admirer les cascades de nuances que je répandais à profusion. Quand venait
l'automne, je revenais de la forêt de Fontainebleau avec

une voiture pleine de feuillages, dorés, brûlés par le soleil, et je les mélangeais dans ma vitrine avec des draps et des velours exactement assortis. Quand il neigeait, j'évoquais toute la féerie de l'hiver, par des draps blancs, des tulles et des mousselines mélangés de branches mortes, et j'habillais l'actualité avec un à-propos qui ravissait les piétons de la rue.

Un mois après, j'étais connu et Tout-Paris s'était arrêté au moins une fois devant la boutique désormais célèbre. Réjane y vint un jour, dans sa voiture attelée de mules. Ce fut une date pour moi. Elle y revint souvent. J'avais peu d'employés, et parmi eux un comptable qui me volait et qui faillit faire échouer mes rêves. Le souvenir de la princesse Bariatinski me persécutait et le manteau qu'elle avait réprouvé me semblait de plus en plus beau. Il devait devenir le type initial de toute une série de créations. Aujourd'hui encore, pourrait-on dire qu'il ne reste pas quelque chose de ce modèle dans les manteaux qu'on fait partout ? En tout cas, pendant des années, il domina et inspira la mode. Je l'appelai « Confucius ». Toutes les femmes en achetaient au moins un. C'était le commencement, dans la mode, de l'influence orientale, dont je m'étais fait l'apôtre.

C'était encore l'époque du corset. Je lui livrai la guerre. Le dernier représentant de ces appareils maudits s'appelait le Gache Sarraute. Certes, j'ai toujours connu les femmes encombrées de leurs avantages et soucieuses de les dissimuler ou de les répartir. Mais ce corset les classait en deux massifs distincts : d'un côté, le buste, la gorge, les seins, de l'autre, le train de derrière tout entier, de sorte que les femmes, divisées en deux lobes, avaient l'air de tirer une remorque. C'était presque un retour à la tournure. Comme toutes les grandes révolutions, celle-là s'était faite au nom de la Liberté, pour donner livre cours au jeu de l'estomac, qui pouvait se dilater sans mesure. Il occupait le dessous du lobe supérieur.

C'est encore au nom de la Liberté que je préconisai la chute du corset et l'adoption du soutien-gorge qui, depuis, a fait fortune. Oui, je libérais le buste, mais j'entravais les jambes. On se souvient des pleurs, des cris, des grincements de dents, que causa cet ukase de la mode. Les femmes se plaignaient de ne plus pouvoir marcher, ni monter en voiture. Toutes leurs jérémiades plaidaient en faveur de mon innovation. Est-ce qu'on écoute encore leurs protestations ? N'ont-elles pas poussé les mêmes gémissements quand elles sont revenues à l'ampleur ? Leurs plaintes ou leurs bougonnements ont-ils jamais arrêté le mouvement de la mode, ou en ont-ils au contraire favorisé la publicité ?

Tout le monde porta la jupe étroite.

Mais, ces premiers succès ne devaient pas m'être très profitables en raison de l'infidélité de mon comptable, qui me trompait sur les résultats de mon exploitation. Je connus tous les déboires des débutants. Un jour, on constata qu'il manquait plusieurs pièces de soieries, et comme j'avais ouvert une enquête qui n'aboutissait pas, je songeai à demander des renseignements à l'occultisme. Cette idée bizarre m'était inspirée par un ancien commissaire de police, qui me dit que, dans les cas extrêmes ou désespérés, il avait obtenu chez les voyantes des révélations précieuses. Après m'avoir dissuadé d'avoir recours à ce procédé, mon comptable me demanda la permission de m'accompagner chez la voyante que j'avais choisie, et qui était du genre bon marché. Elle habitait au fond d'une cour et nous reçut dans une petite cuisine où il y avait un chat et de l'eau qui chantait sur le feu, comme chez les sorcières. Quand elle fut en transe, elle me dit que j'avais été l'objet d'un vol et qu'elle allait me raconter les circonstances dans lesquelles il avait été commis :

« Je vois deux hommes, dit-elle, avec une voiture à bras, qui s'arrêtent devant chez vous. C'est dimanche matin. La rue est à peu près déserte. Un des deux a la clef de la devanture. Il ouvre la petite porte basse et se baisse pour entrer. Il prend les pièces de soieries et les passe à son camarade. Ils s'en vont tous les deux dans une grande avenue toute droite, vers l'ouest. »

Mon comptable avait la clef de ma porte et habitait à Houilles. Il était infiniment troublé par ces révélations, qui correspondaient sans doute à ce qu'il savait. Je demandai à la voyante de me préciser le portrait du voleur. Elle me dit alors :

« Je ne sais pas ce que j'ai. Il me semble que j'ai du mal à m'exprimer. Je suis gênée et mal à mon aise. Cet homme-là est fort en couleur. Il a les cheveux roux, il est dans votre entourage immédiat, il se tient très droit. Vous ne pourriez jamais croire qu'il est coupable. »

Je payai un prix modique, et nous sortîmes. En arrivant au bas de l'escalier, je me mis devant mon comptable et lui barrai le chemin de la porte. Je le pris par les deux bras et, enfonçant bien droit mes yeux dans les siens, je lui dis doucement : « Qu'est-ce que vous en pensez ? » Il me répondit que ce genre d'investigations le faisait sourire, et qu'il préférait me donner son compte car il voyait bien que je manquais de confiance en lui.

J'avais un bureau au premier étage qui donnait sur la rue Auber, et mes yeux avaient été attirés plusieurs fois par le balcon d'une modeste voisine, où je voyais évoluer quelques jolies femmes. Une surtout me paraissait la plus belle que j'eusse jamais rencontrée. Je ne me rappelle plus sous quel prétexte je l'attirai chez moi, mais je sais qu'elle me causa un grand trouble quand elle y vint. C'était une brune aux yeux bleus. Quels yeux bleus ! Des myosotis. Il y eut entre nous une attraction irrésistible, et je crois bien que c'est elle qui me révéla tout ce que je croyais savoir de l'amour. Elle avait une espèce de mari, mais nous ne nous arrêtions ni l'un ni l'autre à cette considération, et nous l'avions sacrifié d'un commun accord sans jamais en parler.

Il s'exposait pourtant sur notre route et, pitoyablement, nous exhibait sa misère comme un spectre. Nous étions cruels et gais. Nous aurions renversé d'autres obstacles, parce que nous étions porteurs d'une force irrésistible. Je souhaitais asseoir mon avenir sur la base de cette rencontre, qui me paraissait imposée par le sort, et je me demande encore pourquoi mes projets ont échoué. Je ne me le rappelle plus. Si ces lignes tombaient un jour sous les yeux de Marthe, qu'elle sache toute la piété, toute la beauté, tout le respect dont j'enveloppe encore le souvenir des heures vécues avec elle. Qu'on me pardonne cette digression romantique.

C'est à cette époque que je connus Bernard Naudin. J'avais vu, dans *le Cri de Paris,* des dessins de lui, et très simplement je lui avais demandé de dessiner pour moi des en-têtes de lettres. J'eus la révélation de ce qu'est l'existence d'un vrai artiste, consacré uniquement à sa carrière. Je ne pourrais pas trouver d'exemple plus élevé de l'amour de l'art. J'assistais à tous ses travaux, je connaissais tous ses rêves et tous ses espoirs, je le vis attaquer les grandes illustrations qui le rendirent célèbre, et je vis de près la passion dévorante qui le possédait. Dans le modeste appartement qu'il habitait rue du Laos ou rue Nicolas-Charlet, j'aimais le trouver à sa table de travail, parmi ses burins, ses cuivres et ses acides, maîtrisant la matière, persécutant l'expression de son idée. Et puis, quand il avait atteint son but, il s'en donnait lui-même la récompense en saisissant une guitare accrochée derrière lui à portée de la main, et il exécutait indifféremment une malagueña ou un air de Bach, et on pouvait passer un après-midi à l'entendre, s'il se laissait aller à détailler, avec des sourires complices, les couplets grivois et clandestins du XVIIe siècle. Il y avait notamment une chanson de l'abbé de Chaulieu, dont le peu que je me rappelle fait encore mes délices. Je suis fier d'avoir été et d'être l'ami de Naudin, qui est un des plus beaux artistes que j'aie connus, et je me vante de lui avoir donné cette viole de gambe ancienne dont il sut tirer des accents si purs que des musiciens réputés, comme les Casadesus, ne craignirent pas de l'inscrire à leur programme. J'aurai l'occasion de reparler de lui plus loin. Au revoir, Naudin.

Ma réputation commençait à se répandre, mais je n'étais pas entièrement satisfait de ma vie qui s'épuisait en fréquentations frivoles et inconsistantes. J'avais bien des amis ou des camarades, Desclers, Picabia le Fauve qui, alors, copiait sagement Sisley, avec lesquels je m'amusais, mais ce n'était qu'un amusement, un plaisir, et je rêvais de bonheur. C'était l'époque où on entretenait partout des fumeries ; l'opium commençait à être à la mode ; on avait cherché à m'attirer chez des officiers de marine, chez des artistes, qui avaient des intérieurs très raffinés, où ils initiaient leurs relations aux délices de la drogue. J'ai toujours résisté à leur entraînement, et je ne suis pas fâché d'avoir l'occasion de le dire ici, pour répondre une fois pour toutes aux insinuations et aux bobards des gens dits informés, qui ont voulu voir en moi un perverti et un satanique. Mes moyens ne me permettaient pas d'être ni l'un ni l'autre. Je n'ai connu ni l'opium, ni la cocaïne, ni la morphine, ni aucun poison du corps ou de l'âme. Je songeais au contraire à asseoir et à consolider mon existence qui, dans le milieu spécial où je vivais, pouvait tourner au désordre et à l'ineptie. La famille me paraissait comme une défense contre ce danger, et je cherchais à m'y décider.

J'étonnai beaucoup les miens, quand je leur révélai mes intentions. Je désirais me rapprocher d'une amie d'enfance qui me semblait la plus apte à devenir ma compagne. On me représenta qu'elle n'était pas parisienne et qu'elle n'avait peut-être pas de dot. Elle habitait en effet la campagne, assez loin de Paris pour n'être pas contaminée par l'éducation superficielle du public que je fréquentais, et c'est là ce qui me plaisait.

Elle était fort simple, et tous ceux qui l'ont admirée depuis que j'en ai fait ma femme, ne l'eussent certes pas choisie dans l'état où je la trouvai. Mais j'avais un œil de couturier et je voyais ses grâces cachées. J'observais ses attitudes et ses gestes, et jusqu'à ses défauts, dont on pouvait tirer parti.

Je me souviens de ses premières visites rue Auber où elle venait avec sa mère. Mes employées (toutes les Parisiennes ne sont pas charitables) me dissimulaient mal leur étonnement de me voir leur préférer cette provinciale qui portait un chapeau noir flanqué d'une botte de roses blanches et qui, franchement, n'avait pas l'allure à la mode. Mais je savais où je voulais en venir. Quelques mois après, le miracle était commencé. Nous demeurions rue de Rome, où nos nuits étaient déchirées par les appels des trains de ceinture. C'est là que je commençai de recevoir des artistes et de créer autour de moi un mouvement. Nous fréquentions les antiquaires, les musées, et nous travaillions sans cesse à enrichir notre culture, et aiguiser notre sensibilité. Puis, nous fîmes des voyages d'études ; tous les musées d'Europe nous furent familiers. L'Italie nous captiva. Au contact de tant de beautés, ma conquête devenait plus précieuse et se transformait. Elle se révélait à elle-même. Elle devait devenir une des reines de Paris. Ses apparitions dans les endroits élégants étaient remarquées, et produisirent plusieurs fois une véritable sensation. A la première représentation du *Minaret,* de Jacques Richepin, elle portait sur la tête un turban, coiffure qu'on n'avait pas vue sur une Parisienne depuis Mme de Staël, et, comme pour accentuer la provocation à l'opinion publique, ce turban était surmonté d'une aigrette qui pouvait avoir trente centimètres de haut. Mme Poiret était désormais consacrée, et les petites Parisiennes ne plaisantaient plus.

Je quittai bientôt la rue Auber, devenue trop étroite pour mon activité, et je m'installai rue Pasquier dans un hôtel particulier que j'avais arrangé à peu de frais, mais à mon goût. Cette prétention d'un couturier qui recevait ses clientes dans une maison privée, sans enseigne et sans étalages, était diversement interprétée. Les mauvaises langues et les petits journaux de chantage répandirent tous les bruits scandaleux et imbéciles que l'on devine. Ils ne pouvaient rien contre ma réputation grandissante. Je reçus chez moi toutes les grandes dames de Paris et d'ailleurs.

C'est là que vint me voir Mrs Asquith, qui devait devenir la célèbre « Margot ». Elle était déjà une des silhouettes les plus vivantes et les plus animées de la vie à Londres. Je renonce à tracer son portrait, qui ressemblerait à celui que fit le peintre Sargent de Lord Ribblesdale, frère de Mrs Asquith. Je me rappelle seulement un long nez très racé, un profil aigu, une bouche amère et méprisante, pincée, mais toujours en mouvement et traduisant toutes les expressions de la pensée, un port altier, des gestes rapides et capricieux — une sorte de chef siou. Et, dans le mouvement incessant de ce visage, un œil froid et observateur, un regard incisif de chirurgien, mais qui, par moments, reflétait une douceur infinie et une grande bonté.

Elle pouvait négliger de plaire, parce qu'elle s'imposait par son allure, mais elle ne pouvait séduire que des gens intelligents, qui placent leurs critériums au-delà des limites vulgaires.

Elle entra chez moi en coup de vent, et tandis qu'on se préparait à lui montrer la collection de mes robes, elle m'expliqua comment elle avait l'habitude de s'habiller, et me montra qu'elle portait une culotte, qui était de satin violet. Puis, elle assista au défilé de mes créations et parut transportée du spectacle que je lui offris. Elle n'avait jamais pensé, me dit-elle, qu'il pût exister d'aussi belles choses.

« Monsieur Poiret, il faut que toutes les Anglaises connaissent vos robes ! Ce sont des robes d'aristocrates et de grandes dames. Je veux vous aider à les faire connaître chez nous. Vous y aurez un succès certain.

Je vais organiser un thé auquel je convierai toutes mes amies les plus élégantes. Voulez-vous y faire venir vos mannequins et vos robes ? »

C'était passer la Manche sur un pont d'or. J'acceptai avec autant d'empressement que de confusion, et quelques semaines après, je me mettais en route avec quelques mannequins et une collection de toilettes du jour et du soir, digne de mes hôtes.

Nous abordâmes, le lendemain de notre arrivée, la belle résidence de Downing Street, où habitait M. Asquith, Premier ministre, et tandis qu'on déballait les malles, je voyais par les fenêtres les Horse Guards automatiques faire les cent pas dans les cours enfumées de Whitehall.

Le défilé fut un triomphe. L'assistance était la plus belle que j'aie jamais vue. M. Asquith se montra un instant ; je lui fus présenté, puis il regagna son cabinet, assez soucieux.

A sept heures du soir, il y eut un froid, et on m'expédia sans ménagements. Dans la rue, quelques journalistes me guettaient. Deux taxis chargèrent les mannequins et les malles, et nous regagnâmes notre hôtel sans tambour ni trompettes. Mais c'est le lendemain que les trompettes sonnèrent. Les journalistes m'avaient abordé toute la soirée, me demandant des interviews confidentielles, prenant ma photographie, interrogeant jusqu'aux mannequins sur la façon dont Mrs Asquith nous avait traités. J'eus la clef de ces mystères quand les journaux parurent, avec des manchettes sensationnelles : « Une exposition à Gowning Street » (jeu de mots, intraduisible en français, sur le nom de la résidence officielle du Premier ministre) ou bien : « Le commerce français représenté par le premier Anglais. » On voyait dans un journal une grande photographie de M. Asquith, et en face, une grande photographie de moi. J'appris qu'on s'était servi de l'exposition de la veille pour reprocher sévèrement à M. Asquith, qui était libre-échangiste, d'avoir prêté ses salons à un commerçant étranger, et d'avoir ainsi

trahi la cause du « trade » anglais. « Non seulement
M. Asquith refusait à son peuple des droits de protec-
tion, mais il facilitait l'intrusion des marchandises étrangères en organisant des exhibitions dans les salons
qui lui avaient été payés par le commerce national ! » L'argument était puissant. Il éclata comme
une bombe. M. Asquith subit une interpellation
au Parlement et fut rappelé à l'ordre par son parti.
Mrs Asquith aussi, je pense. Quant à moi j'étais lancé
à Londres.

Je revis Mrs Asquith chez une amie, à Paris, beaucoup
plus tard. La pauvre femme n'osait plus me rencontrer.
A la suite de la légèreté qu'elle avait commise, elle avait
été persécutée par les commerçants, et elle avait dû
commander des robes dans toutes les maisons de Londres
pour leur donner des témoignages de son loyalisme et
de sa fidélité. Toutes ses belles amies s'habillaient chez
moi ; elle seule n'osait y venir. Je lui témoignai en toutes
circonstances la reconnaissance que je lui avais pour la
façon très cavalière dont elle avait supporté l'épreuve
qui devait m'être si profitable.

Je la rencontrai plus récemment à Cannes où j'allais
chaque saison, car c'était peu d'avoir à Paris une belle
maison et d'y être visité par la haute société de tous les
pays, il fallait me placer sur le chemin de mes clientes,
et me tenir prêt à les servir dans toutes leurs villégiatures
favorites. J'eus une succursale à Deauville et une à
La Baule, une à Cannes et une à Biarritz. On a pu
critiquer la manière dont je les avais installés. A Cannes,
notamment, je n'avais trouvé qu'une cave, située sous
le Cercle Nautique, et qui ne recevait d'air et de
lumière que par sa devanture. J'en fis une guinguette
sans façon, dont l'aspect était gai et séduisant. Tous
les passants allongeaient le cou pour y jeter un œil en
coulisse.

Quelques jours après l'ouverture de cette piquante
boutique, éclairée de clochettes multicolores, un monsieur y entra sans se découvrir, et, avec un air très décidé,

gagna le fond de ce rez-de-chaussée, un sifflement aux lèvres. Puis, poussant un paravent, il se considéra dans une glace, et comme on montrait des robes à quelques clientes, il se campa pour observer à son tour les attitudes des modèles. C'était trop de désinvolture. Je m'approchai de lui et lui dis :

— Monsieur, je vous prie de remarquer qu'il y a ici plusieurs dames et qu'il est incorrect que vous gardiez votre chapeau sur la tête.

— Je sais ce que j'ai à faire...

Et il sortit sans déranger son chapeau.

Je déjeunais ce jour-là au Casino, et comme je causais avec Cornuché, à l'entrée de la salle à manger, je vis arriver à pas comptés mon personnage. Des femmes, qui étaient assises, se levèrent aussitôt et se précipitèrent à sa rencontre pour baiser ses mains avec une génuflexion ou une révérence. Six fois, il reçut l'hommage d'une nouvelle venue, sans s'émouvoir et sans répondre d'un seul geste à leur empressement ou à leur dévotion.

J'interrogeai Cornuché, qui me dit :

— C'est le grand-duc Alexandre...

J'avais encore fait une gaffe, mais je ne la regrettais pas.

Un matin, Mrs Asquith, penchée vers mes « windows » de la Croisette, admirait un de mes petits costumes. Je vins la saluer. Elle m'invita à déjeuner chez Mrs Booth, chez qui elle habitait. J'acceptai, avec mon ami le peintre Oberlé, mon hôte. Elle oublia son invitation et ne vint pas. Ces manières, de sa part, n'étonnaient personne, et Lady Booth se montra plus que charmante dans son accueil. Je rencontrai là plusieurs hauts personnages anglais, notamment le marquis de Lascelles, gendre de S. M. le roi d'Angleterre, un membre du Parlement, et une grande dame dont le nom m'échappe. Le déjeuner fut anglais, c'est-à-dire mauvais et distingué. Comme il finissait, on vint me prévenir que le professeur Akldar désirait me parler. Je priai qu'on

le fît attendre, car c'était un mage, dont le vrai nom
était Kahn, et je ne me souciais pas de l'introduire dans
ce milieu choisi. Je dus expliquer qui il était. C'était
un voyant, qui perçait de son regard le secret des enveloppes et des poches, et qui lisait les lettres pliées dans
des portefeuilles. Je soulevai la curiosité générale, et
on insista pour que je le fisse entrer. Il attendait dans
l'antichambre. Je signai sa levée d'écrou, à la demande
générale.

Le professeur Akldar, en entrant, dit au membre du
Parlement qu'il lui voyait de gros soucis relatifs à la
politique de l'Angleterre en Chine et il lut une lettre
que celui-ci portait dans sa poche, ou du moins lui en
indiqua la teneur, avec assez d'exactitude pour que le
député, troublé, lui demandât une audience qu'il paya, je
l'ai su depuis, dix mille francs.

Après déjeuner, je me retirai et laissai le mage en
conversation privée avec je ne sais qui. J'eus le désa-
grément de recevoir, plusieurs semaines après, une lettre
d'une vieille dame qui se plaignait de ce que je lui eusse
présenté ce jour-là ce M. Kahn, qu'elle considérait
comme un escroc. Elle avait conclu, disait-elle, un
marché avec lui, et lui avait remis une somme de dix
mille francs pour jouer aux courses, car il prétendait
connaître d'avance le nom des gagnants. Elle devait
être intéressée sur les gains à raison de 50 %, mais ne
participait pas aux pertes. Il avait joué, comme convenu,
et gagné comme promis, une somme de 70 000 francs.
Mais il n'avait rien remis à sa partenaire, disant que le
marché était illicite. Je m'étonnais, en effet, qu'une
grande dame anglaise eût pu accepter des tractations
de cet ordre avec un inconnu, et surtout de la condition
qu'elle avait introduite dans son marché : elle ne s'intéressait qu'aux affaires avantageuses et ignorait les
autres. Cela la mettait nettement dans un mauvais cas
et empêchait qu'on la plaignît. Je communiquai sa lettre
à Mrs Asquith, en protestant à mon tour contre cette
injuste accusation. Elle me répondit que cette vieille

dame était folle, depuis qu'elle était la femme d'un lord, événement auquel rien ne la préparait, car elle avait couru toute sa jeunesse pour cueillir des herbes, dans les prairies, pour son père pharmacien (car Mrs Asquith avait une ironie charmante).

VI

MON INFLUENCE

On a bien voulu dire que j'avais exercé une grosse influence sur l'époque et que j'avais inspiré toute ma génération. Je n'ose pas prétendre que ce soit vrai et je me sens extrêmement modeste, mais pourtant, si je fais appel à mes souvenirs, je suis bien forcé de reconnaître que, quand j'ai commencé à faire ce que je voulais dans la couture, il n'y avait plus de couleurs du tout sur la palette des teinturiers. Le goût des raffinements du XVIIIe siècle avait conduit les femmes à la déliquescence, et sous prétexte de distinction on avait supprimé toute vitalité. Les nuances « cuisse de nymphe », les lilas, les mauves en pâmoison, les hortensias bleu tendre, les nils, les maïs, les paille, tout ce qui était doux, délavé et fade était en honneur. Je jetai dans cette bergerie quelques loups solides : les rouges, les verts, les violets, les bleu roi firent chanter tout le reste. Il fallut réveiller les Lyonnais, qui ont l'estomac un peu lourd, et mettre quelque gaieté, quelque fraîcheur nouvelle dans leurs coloris. Il y eut des crêpes de Chine orange et citron, auxquels ils n'auraient pas osé penser. En revanche, on donna la chasse aux mauves morbides ; la gamme des tons pastel fut une nouvelle aurore. J'entraînai la troupe des coloristes en abordant tous les

tons par le sommet, et je rendis la santé aux nuances
exténuées. Je suis bien obligé de m'attribuer ce mérite
et de reconnaître aussi que depuis que j'ai cessé de
stimuler les couleurs, elles sont retombées dans la neurasthénie et l'anémie.

Les femmes croient se distinguer et reconnaître dans
la gamme des beiges et des gris. Elles se confondent au
contraire dans un brouillard vaseux, qui sera la marque
de notre époque. La mode a besoin aujourd'hui d'un
nouveau maître. Il lui faut un tyran qui la fustige et qui
l'affranchisse de ses scrupules. Celui qui lui rendra ce
service sera aimé et deviendra riche. Il devra faire ce
que je fis alors et ne pas regarder en arrière, considérer
seulement les femmes et ce qui leur va. Mais une fois
qu'il aura acquis sa conviction, il devra suivre son idée
coûte que coûte, sans observer ses confrères ou s'inquié-
ter d'être suivi. Il ne sera pas suivi la première année,
mais il sera copié la seconde.

Mais ce n'est ni en rendant la vie aux couleurs, ni
en lançant des formes nouvelles, que je crois avoir
rendu le plus de services à mon époque, car ce que j'ai
fait dans cet ordre, un autre peut-être eût pu le faire.
C'est en inspirant les artistes, en habillant les pièces de
théâtre, en m'assimilant les besoins nouveaux et en y
répondant, que j'ai servi le public de mon temps.

Laissez-moi vous rappeler le coup d'Etat que fut dans
l'art de la mise en scène la première représentation du
Minaret. Je ne sais pas combien de représentations eut
la pièce, mais à coup sûr elle m'en doit cent. Je crois me
rappeler que le livret était une pauvre chose, auquel
l'auteur lui-même ne devait attacher que peu d'importance, mais le véritable effort était dans les costumes
et les décors.

Pour la première fois, le couturier et les décorateurs
s'étaient concertés et avaient adopté le même parti.
Contrairement à tout ce qui s'était fait jusqu'alors, où
le couturier envoyait des robes au théâtre, sans savoir à

quelle sauce elles seraient mangées, c'est-à-dire sous
quel projecteur et sur quels fonds elles seraient servies,
mes amis Ronsin, Marc Henri, Laverdet et moi nous
étions mis d'accord sur des harmonies capitales très
simples, dont nous nous engagions à respecter les limites.
Le premier acte devait être bleu et vert. Le second,
rouge et violet. Le troisième, noir et blanc. Et je ne me
permis pas une infraction à cette ligne de conduite.
Quand le rideau se leva sur le premier acte, le public
poussa un « ha », comme s'il avait reçu la fraîcheur
des premières gouttes d'un orage bienfaisant. Tout se
fondait dans la même gamme élémentaire. Aucun écart
de tons ne venait fatiguer la prunelle.

Nous ménagions nos effets du deuxième acte, qui
était l'acte troublant auquel Mme Cora Laparcerie attachait beaucoup d'importance. Le contraste de sa vio-
lence avec la fraîcheur du début produisit son plein effet.
Vous rappelez-vous les arbres rouges et les fleurs violettes, où nous nous étions permis des rehauts d'or et des
tache noires ? La richesse somptueuse et sourde de cet
ensemble faisait penser à la voix d'un orgue magnifique.
On ne pouvait accroître l'émotion du public que par
l'apaisement du troisième acte, et c'est pourquoi nous
l'avions traité en noir et blanc, et enrichi par les perles
et les diamants. J'ai conservé le souvenir de Galipaux
en riche bossu noir et blanc, et c'est avec l'assentiment
et l'adhésion formelle de Ronsin, mon collaborateur,
que je me permis un costume vert pomme porté par
Claudius, dans le rôle de l' Eunuque, qui était une
licence charmante et acidulée. Elle fut appréciée.

Je ne sais pas si on se souviendra de la mise en scène
que je réalisai, quelque temps après, pour un petit chef-
d'œuvre de Rip qui s'appelait *Plus ça change...* et qui
a été bien des fois remanié, habillé et déshabillé par
divers artistes. J'ai toujours pratiqué de la même
manière, et en me tenant entre les deux extrêmes de
deux tons pour chaque tableau. Par exemple, blanc et
bleu ou orange et citron. Il y avait dans *Plus ça change...*

un acte qui se passait au moyen âge. On y voyait Isa-
beau de Bavière (Spinelly) sous un hennin grandiose,
et ses dames d'honneur en bonnets pointus. On y voyait
Charles VI, dit le Fou, qui chantait :

> *J'ai fait pipi dans la mer*
> *Pour embêter la flotte anglaise...*

J'avais choisi le bleu et le rouge pour habiller ce
tableau, et pour rappeler les enluminures des incunables
et des vieux missels. On pouvait voir sur la scène, au
même instant, tous les bleus et tous les rouges mélangés
avec de l'or. Imaginez l'harmonie à la fois riche et sobre
que cela rendait. Un vitrail, qui fermait le fond de la
scène, était traité dans les mêmes tons, et répandait sur
le sol des taches de même couleur.

Je rougis de rapporter moi-même mes succès et mes
titres. Je le fais beaucoup moins pour rappeler mes
états de service que pour rechercher les raisons qui
m'ont rendu célèbre. Je ne peux pas oublier, dans cet
ordre, les nuits passées à la Renaissance aux répétitions
d'*Aphrodite*, qui n'étaient qu'une longue discussion entre
l'adaptateur, Pierre Frondaie, et Cora Laparcerie. Le
véritable auteur, Pierre Louÿs, n'y vint qu'une seule
fois, et on ne l'entendit pas. « Je vous emm..., Madame »,
criait Pierre Frondaie en levant sa canne, et cette pauvre
Cora faisait semblant de se formaliser et se retirait dans
sa loge, où elle remaniait la pièce défectueuse.

L'adaptateur, qui avait toutes les exigences et toutes
les grossièretés, imposait que le phare d'Alexandrie fût
dans le lointain et qu'il fût praticable pour qu'on y fît
monter des hommes. On vit donc sur une petite tour des
personnages grandeur nature, comme dans les tableaux
de Giotto. Le public de la première ne goûta pas la plai-
santerie. Ronsin et moi étions les seuls à nous amuser.

Plusieurs artistes ont donné, dans leurs dessins, une
idée assez exacte de l'esprit de cette époque. Je distinguai
notamment Jean Villemot et Paul Iribe ; ce dernier avait

créé un journal, *le Témoin,* rédigé avec beaucoup d'esprit et dans une note nouvelle. *Le Témoin* était illustré presque entièrement de sa main. Je priai Iribe de venir chez moi et je fis sa connaissance.

C'était un garçon extrêmement curieux, un Basque potelé comme un chapon qui tenait à la fois du séminariste et du prote d'imprimerie. Au XVII⁰ siècle il eût été un abbé de cour ; il portait des lunettes d'or, des faux cols largement ouverts autour desquels était nouée une régate un peu lâche, dans le genre de celle de M. Whitney Warren. Il parlait d'une voix très basse, comme mystérieuse, et donnait à quelques-unes de ses paroles une inflexion capitale en détachant les syllabes, par exemple en disant : « C'est ad-mi-ra-ble ! » Ensemble séduisant et distingué.

Je confiai à Iribe mon intention de réaliser une très jolie édition, destinée à l'élite de la société : un album de ses dessins représentant mes robes, et imprimé sur très beau papier d'Arches ou de Hollande, serait adressé à titre d'hommage à toutes les grandes dames du monde entier. Puis, je lui fis voir mes robes pour observer ses réactions. Il tomba en pâmoison :

« J'ai souvent rêvé de robes de ce genre, me dit-il, mais je ne pouvais pas supposer que quelqu'un les eût déjà réalisées. C'est ad-mi-ra-ble, et je veux me mettre au travail im-mé-dia-te-ment ; je veux aussi vous amener une femme é-ton-nante d'une infinie distinction qui portera ces robes di-vi-ne-ment. C'est Mme L..., la fille de Bj... Bj..., elle est ravissante ! » Il la conduisit chez moi quelques jours plus tard.

Comme par hasard Iribe avait besoin d'argent. Je lui versai le montant de ses premiers dessins, et il disparut. Le temps me sembla long pendant lequel il ne revint pas ; j'avais négligé de lui demander son adresse. Quand il m'apporta des croquis, je fus enchanté de la manière dont il avait compris et interprété mes modèles, et je lui demandai d'achever rapidement son travail, car il importait d'offrir au public raffiné que nous voulions atteindre un document d'une grande fraîcheur ; il devait donc paraître avant que la mode eût changé. « Et d'abord, lui dis-je, donnez-moi votre adresse, que je puisse correspondre avec vous. » Il me répondit qu'il n'avait pas d'adresse fixe à Paris, mais qu'il prenait tous les matins son petit déjeuner chez Mme L. Puis, après avoir touché un nouvel acompte sur son œuvre, il s'éclipsa à nouveau.

J'eus beaucoup de mal cette fois à le ramener et à obtenir livraison de son travail. Je crois me rappeler que je dus le menacer assez sérieusement, pour l'obliger à terminer cet album. Enfin il m'envoya ses derniers originaux, et le travail d'imprimerie put commencer. On connaît cet ouvrage qui se trouve aujourd'hui dans toutes les bibliothèques des artistes ou des amateurs d'art. C'est une chose ad-mi-ra-ble, et qui constituait alors un document sans précédent. Il était traité avec tant d'esprit qu'il est à peine démodé aujourd'hui ; son titre était : *Les robes de Paul Poiret racontées par Paul Iribe.* Un exemplaire en fut adressé à chaque souveraine d'Europe, portant après les pages de garde une dédicace spécialement imprimée en beaux caractères. Tous furent bien accueillis et appréciés, sauf toutefois celui de S. M. la reine d'Angleterre, qui me fut retourné avec une lettre d'une dame d'honneur, me priant de m'abstenir dans l'avenir de tout envoi de ce genre. Je n'ai jamais compris cette méprise.

Je ne suis pas fâché d'éclaircir ici un point d'histoire, qui vient d'être soulevé par un journal venimeux de Paris, cherchant à insinuer que « mon génie personnel » n'était autre chose que le talent d'Iribe et de Marie Laurencin. En ce qui concerne la seconde, le propos est tellement absurde qu'il ne mérite pas l'examen ; en ce qui concerne Paul Iribe, je lui ai écrit à une adresse présumée (car il ne doit plus prendre le petit déjeuner chez Mme L.) pour lui demander d'envoyer au journal une rectification qui n'a pas encore paru. Je ne peux pas croire qu'il entre sérieusement dans les intentions de Paul Iribe de me contester la paternité de mon œuvre. Ce serait un enfantillage, et une maladresse, car je ne tarderais pas à le confondre en lui mettant sous les yeux ses carnets de croquis que j'ai pieusement conservés. On y voit les détails de mes robes notés avec une scrupuleuse exactitude, et des indications écrites qui témoigneront de son souci de respecter le modèle.

Mais Paul Iribe n'est pas, je pense, de ceux qui font leur nid dans celui des autres, et il ne peut y avoir entre nous de polémique, s'il rend justice à ma personnalité comme je m'incline devant la sienne. Au demeurant ces lignes sont écrites sans aucune acrimonie, et en soulevant le voile de notre jeunesse sur ses débuts comme sur les miens, je ne cherche à lui causer aucune peine même légère.

Deux ans après l'album d'Iribe, je demandai à Georges Lepape d'y faire une réplique. Il s'y prit de la même façon ; il vint voir mes créations et les dessina avec esprit. Lepape ne niera pas la part que j'ai prise à son travail, ni l'influence que j'ai exercée sur lui ; il était alors à peu près inconnu. Je crois lui avoir donné une merveilleuse occasion de se révéler au public, dans une matière qui était précisément celle qui lui convenait, et avoir guidé son goût. Sa belle carrière ma donné raison. C'est peut-être dans cet ascendant que je pris sur lui et sur d'autres qu'il faut voir mon action la plus efficace.

C'est à cette époque aussi que je fis la connaissance du peintre Boussingault. M. Jacques Rouché m'avait demandé d'écrire pour *la Grande Revue* un article de quelques pages relatif à la grande couture. C'était un honneur insigne pour un couturier d'être inséré dans un organe de cette qualité. Je ne m'y dérobai pas, et quand il fut écrit, mon article fut communiqué à Boussingault chargé de l'illustrer. Jean Boussingault vint chez moi un matin me demander des renseignements sur les figures qu'il convenait d'évoquer. Quel curieux personnage ! Grand, élégant, très soigné, il avait la

démarche compassée du casoar. Il me semble que je
dessinerais son visage en faisant simplement un grand
nez pointu comme un bec, et deux paupières lourdes
sous des cheveux parfaitement lissés comme des plumes ;
dans cet ensemble, deux lèvres sensuelles et avides mais
sobres de paroles. Certes, il n'apportait aucun élément à
la conversation ; c'était un contemplatif et un timide.
Nous devînmes camarades et c'est lui qui, lors d'une de
ses visites chez moi, me fit connaître Dunoyer de Segonzac.

Celui-là est assez célèbre aujourd'hui pour qu'on n'ait
pas besoin de le dépeindre ; il appartient à la vie parisienne, malgré sa grande réserve et son souci de ne pas
se répandre. Segonzac débutait assez mal ; ses grandes
toiles du Salon d'automne et des Indépendants avaient
été plus remarquées qu'admirées. Ces chaos de jambes
ouvertes et de tronçons de bras, présentés pêle-mêle dans
l'herbe avec des ombrelles, passaient pour l'illustration
d'un fait divers mystérieux, et soulevaient quelquefois
l'indignation des gens dits bien pensants. Nous avons
souvent ri ensemble des jugements recueillis aux Salons,
dans nos promenades autour de ses toiles. Disons-le, il
était incompris, et dois-je avouer moi-même qu'en ache-
tant ses premiers tableaux, je faisais plus de confiance
à l'homme qu'à son œuvre ? Quand je lui demandai de
me vendre sa grande toile des *Buveurs,* je l'étonnai
beaucoup ; elle n'avait pas eu de succès et il l'avait roulée
autour d'un bâton et rangée dans quelque coin de son
atelier ; c'est ce qui explique qu'en raison des épaisseurs
de peinture, elle soit couverte de petites vagues et d'ondu-
lations qui sont l'effet de ce traitement. Il osait à peine
m'en demander un prix quelconque, et quand je lui proposai le chiffre de 3 000 francs, il éclata de son bon
gros rire en me disant : « Si tu veux ! », mais, cette
toile devait atteindre dix ans plus tard le chiffre de
90 000 francs aux enchères de l'hôtel Drouot.

On a tout dit à ce sujet, notamment que je l'avais
rachetée moi-même pour faire mousser le nom de mon

ami, ou bien que c'était une vente fictive. Faut-il que
le monde soit bête ou bien méchant, ou même les deux !
Je me consolais de ma déconfiture en voyant les tableaux
de Segonzac atteindre officiellement les prix qu'ils méritaient, et je me félicitais d'avoir été l'occasion de cette
révélation au public. J'en conserve une grande fierté, car
Segonzac est aujourd'hui un auguste peintre, qui a une
secrétaire dactylographe. Ses autographes n'en ont que
plus de prix. Je ne dirai pas que c'est un pontife, il ne me
le pardonnerait pas, mais je suis bien obligé de constater
qu'en devenant riche il a changé d'habitudes et de
relations. Dans les réunions amicales que nous avions
fréquemment, et où il tenait un rôle prépondérant,
autant en raison des qualités de son esprit qu'en raison
de la popularité dont il jouissait, il n'apparaît plus guère
aujourd'hui que comme un météore ou un ministre
affairé, qui s'arrête entre deux séances du Conseil et de
la Chambre, serre des mains et disparaît dans un nuage
de sympathie ou se dissipe à l'anglaise. Je ne peux pas
ne pas regretter l'époque exquise où il n'était ministre
que pour rire, et imitait à la fois le sénateur et le culti-
vateur conversant dans les comices agricoles. Quelles
improvisations charmantes, pleines de vie et de couleur,
quels personnages typés et racés, ne composait-il pas
alors ! J'ai de lui des photographies prises au cours
des fêtes que je donnais, et où il se taillait toujours un
franc succès par la qualité de ses reconstitutions et par
le génie de ses créations. Je ne le menace pas de les
publier, car je ne veux pas lui être désagréable, mais
j'espère qu'il ne reniera jamais ce passé auquel il doit
sa réussite d'aujourd'hui. Il avait alors toute la fine
psychologie, toute l'ironie aiguë d'un Molière ou d'un
Beaumarchais. Je me demande souvent s'il a laissé tarir
sa verve dramatique, ou s'il la fait encore jouer devant
certains aréopages plus dignes d'en jouir, comme on
donnait les grandes eaux pour le Roy tout seul.

Il m'est arrivé bien souvent de découvrir des talents
inconnus et de révéler au public des noms nouveaux. Au

théâtre j'ai lancé la petite Dourga, danseuse hindoue,
Vanah Yahmi et Nyota Inioka, qui fut tour à tour
Vichnou et Krishna. J'ai fait connaître Caryathis et tant
d'autres, mais je n'ai jamais fait de découverte aussi
substantielle que celle de Dunoyer de Segonzac si ce
n'est celle que j'ai faite à Londres, l'an dernier, d'Andrée Lévy, encore inconnue du public mais dont le talent palpitant et expressif s'imposera bientôt à tous, car
rien ne saurait résister à cette force de la nature. Aucune des vedettes que je viens de citer n'est d'ailleurs
restée en contact avec moi : on les a vues pâlir une à
une, en même temps qu'elles s'éloignaient de mon
orbite. N'étaient-elles que des planètes ? Avaient-elles
besoin de mon soleil ? Je n'oserais le prétendre, mais
j'ai pourtant la certitude de leur avoir fourni l'occasion d'un travail unique, et d'avoir fécondé leur
talent par les possibilités et les facilités que je leur offrais.
Je tirais parti de toutes leurs facultés et je savais mettre
en lumière tous leurs dons ; alors, elles étaient grisées
d'applaudissements, se croyaient déjà au faîte de la gloire
et ne mesuraient plus l'importance de ma collaboration ;
elles se croyaient arrivées, ou, comme on dit à Paris,
elles croyaient que c'était arrivé. Elles ne savaient pas,
les pauvres, que la gloire se renouvelle et se revernit
tous les jours, qu'il faut livrer une bataille incessante
pour garder la place qu'on a acquise et que chaque
matin il faut gagner la victoire, si on veut rester une
vedette de Paris.

Regardez Mistinguett, est-ce qu'elle ne livre pas tous
les soirs le bon combat pour garder sa place ? J'ai une
admiration sans bornes pour l'effort désespéré qu'elle
fournit. C'est un travail d'insecte qui reconstruit chaque
jour son nid, que le public détruit d'un coup de pied.
Rien n'est plus émouvant que cette lutte et rien n'est
moins risible. Je défends ici cette vieille artiste, bien
qu'elle m'ait joué autrefois un bien vilain tour : dans
une revue du Casino de Paris, j'avais accepté de faire
les costumes d'un sketch intitulé *les Armes de la femme*

et Mistinguett y représentait *la Rose*. Je lui fis un costume ravissant, qui coûtait plus de dix fois le prix que je devais recevoir, mais je m'étais laissé entraîner par mon désir de réaliser une belle chose. La rose était vraiment une Rose.

C'était une jupe crinoline faite d'immenses pétales qui s'élançaient hors d'un corselet de velours vert représentant le calice de la fleur, et sur la tête il y avait le pédoncule avec ses grands bras de velours vert doublés de diamants. Je ne sais quel genre de querelle me chercha Mistinguett le soir de la répétition des couturières ; elle prétendit qu'elle ne pouvait pas porter cette robe, qui ne lui permettait pas de danser (elle en a porté bien d'autres depuis) ; elle souleva des difficultés sans nombre avec cet entêtement et cette mauvaise foi qui sont le secret des femmes de théâtre. La vérité est qu'elle avait un contrat, qui l'obligeait de se faire habiller à la scène comme à la ville, par une de mes anciennes employées dont le nom est indigne de ce livre. Je supprimai de la scène cette robe, qui devait produire un effet sensationnel sur lequel j'avais compté, et je refusai d'en refaire une autre, car je me sentais incapable de faire mieux, et le lendemain Mistinguett entra sur la scène avec la même robe qu'elle avait critiquée et repoussée la veille, mais sa robe avait été copiée par l'autre maison sur le modèle de la mienne.

Voilà bien des mots pour dire une basse histoire, mais il faut qu'elle soit racontée pour que le public connaisse à quelles déceptions, à quelle amertume s'expose celui qui veut créer un peu de beauté pure et saine dans l'atmosphère pourrie et poussiéreuse du théâtre ou du music-hall.

Mistinguett a toujours prétendu que j'étais le seul homme qui lui ait jamais fait peur ; elle ne pouvait soutenir mon regard, car elle était incapable de comprendre ce qu'il contient. Elle me gardait dans son cœur une secrète rancune, et c'est ce sentiment qu'elle a trouvé l'occasion de manifester ce jour-là. Ainsi pratiquent les guenons vindicatives. Je ne lui en veux plus.

Puisque je suis en train de tout dire, je raconterai que je suivais assidûment le bal des Quat-z'arts, où j'étais régulièrement convié. Rien ne m'a semblé plus charmant que ces fêtes libertines de la jeunesse, où il n'y avait ni affectation ni pédantisme. Je me rappelle notamment une soirée assyrienne, dans le cadre du Moulin Rouge, qui fut une des plus belles évocations que j'aie admirées.

Je venais de traiter, pour M. Rouché, une pièce de Maurice Magre au Théâtre des Arts ; cela s'appelait *Nabuchodonosor* ; Segonzac avait consenti à faire les décors, parce que je faisais les costumes, et nous nous étions bien amusés aux répétitions, car c'était de Max qui faisait le rôle de Nabuchodonosor, et il ne manquait pas de fantaisie. Il était accroupi à quatre pattes sur la scène et répétait cet instant de la pièce où il venait d'être changé en bœuf. Une de ses danseuses favorites arrivait en tournoyant ; c'était la belle Trouhanowa qui jouait ce rôle, abondante et riche nature. De Max, en proie au délire, devait lui crier « Papillon ! papillon ! » Mais un soir de répétition ce cri ne lui sortit pas de la gorge. Le bœuf s'arrêta de jouer et s'approchant à quatre pattes du bord de la scène, il appela : « Rouché, Rouché, dis donc, mon vieux, est-ce que tu n'as pas peur qu'on se foute de moi ? Je dis " Papillon ! papillon ! " et tu m'envoies un éléphant ! »

De Max portait alors dans cette pièce le premier costume de théâtre que j'aie fait. C'était un manteau immense que j'avais fait teindre tout exprès dans un ton qui devait être celui de la pourpre de Tyr. Il était rehaussé de larges galons d'or, et sur la tête du roi changé en bœuf était posée une tiare monumentale, lourde de six kilos (mais de Max était un artiste qui savait s'imposer des supplices pour produire un bel effet) ; cette tiare était conçue comme une pièce d'orfèvrerie et paraissait sculptée dans de l'or vierge, hérissée de clochetons, de tourelles et de minarets. C'est ce costume que j'avais

emprunté pour me rendre au bal des Quat-z'arts. On
attela un traîneau d'honneur, qui fut tiré par cent femmes à demi nues. Ce fut un beau spectacle.

A la suite de cette manifestation, je devins l'ami des
ateliers de l'Ecole des Beaux-Arts, qui me demandaient
chaque année de participer à leurs jeux et d'organiser
quelque entrée sensationnelle avec les belles filles dont je
pouvais disposer. Je m'y suis toujours prêté, jusqu'au
jour où je fus reçu grossièrement par un maladroit qui
me marqua au visage d'un pinceau plein de couleur
verte, pour m'exprimer, dans le langage des rapins, que
j'avais passé l'âge de ces réjouissances. J'ai compris, et
je n'y suis jamais retourné, malgré ma sympathie irrémé-
diable pour les peintres.

Car j'ai toujours aimé les peintres, je me sens de
plain-pied avec eux. Il me semble que nous exerçons
le même métier et que ce sont mes camarades de travail.

A l'époque que je suis en train de raconter je voyais
régulièrement deux d'entre eux, l'un et l'autre appelés à
un grand avenir : c'étaient Vlaminck et Derain. Ils habitaient les guinguettes du bord de l'eau, à Chatou ; moi
aussi. Nous vivions là, comme autrefois les impressionnistes et les amis de Caillebotte, à Argenteuil, dans une
saine atmosphère de liberté et d'insouciance. Je reverrai
toujours l'air farouche de Vlaminck et son aspect revê-
che, si on approchait de sa toile pendant qu'il travaillait.
Il exposait ses tableaux chez un marchand de couleurs,
au coin du pont de Rueil, et un de mes amis disait que
quand on passait en automobile assez vite, sa peinture
produisait bon effet. Il ne reconnaîtrait pas ce propos
aujourd'hui. Vlaminck est devenu une lumière de l'époque, et son talent n'est plus discutable. Je l'ai vu déménager un jour avec Derain. Ils avaient été chassés
ensemble du petit cabaret que nous habitions. La mère
Lefranc, la patronne, fatiguée de leur faire crédit, avait
pris un parti extrême et les jetait dehors. Je les vois
encore sur les berges fleuries, leurs boîtes de couleurs

sous le bras, et leurs toiles dans une brouette. Que de
ménagements Mme Lefranc aurait aujourd'hui pour ces
peintres arrivés, s'ils avaient encore le désir de retourner chez elle !

VII

FAUBOURG SAINT-HONORÉ

C'était un jour de mi-carême, que me promenant à
pied dans le beau quartier qui avoisine les Champs-
Elysées, rue d'Artois, avenue d'Antin (aujourd'hui avenue Victor-Emmanuel-III) je m'arrêtai devant un terrain
vague fermé d'une grille. C'était une propriété abandonnée, où, sous de grands arbres, probablement centenaires, l'herbe folle croissait. Des poules picoraient dans
tous les coins. On y voyait tous les chats du quartier,
errant en quête d'un gibier. La grille sur la rue était
fermée, mais je voulus entrer dans ce palais de la Belle
au Bois dormant et je cherchai une porte.

Il y en avait une faubourg Saint-Honoré. Une voûte
soutenue par des colonnes donnait accès dans une cour
fermée par une vieille bâtisse. C'était le dos de l'hôtel,
qui donnait par une magnifique façade sur l'avenue
d'Antin. Je fis parler la concierge. C'était une maison
abandonnée depuis quinze ans. Il fallait louer le tout,
et c'était trop grand pour un commerçant. Aucun particulier ne voulait relever ces ruines, ces corniches dégra-
dées, cette toiture qui menaçait de s'effondrer. Deux
jours plus tard, je signais mon bail, j'entreprenais des
travaux qui durèrent trois mois (cela me parut intermi-
nable), je fis creuser le jardin pour lui donner l'aspect

de ceux que j'avais vus à Versailles et dans les beaux châteaux de France. Le 1ᵉʳ octobre la maison était transformée, j'avais respecté son caractère auguste, on eût dit la demeure d'un grand seigneur d'une autre époque. Un parterre de broderies s'étalait comme un tapis au milieu des allées. Il y avait une pelouse hérissée de crocus multicolores, il y avait un théâtre de verdure, aboutissant à une salle fraîche. Il y avait un perron de trois marches sur 17 mètres de long, aux extrémités duquel se tenaient, bondissantes et légères, deux biches en bronze, deux merveilles que j'avais rapportées d'Herculanum.

Tous ceux qui ont vécu une heure dans ce cadre enchanteur seront touchés de ces détails. On entrait dans la maison par dix portes sur le perron, et on pouvait, les jours d'été, ouvrir tous les salons de réception comme une galerie sur le jardin. Les tapis étaient rouge groseille, et contrastaient délicieusement avec la verdeur des parterres. Des lustres savants et ingénieux mêlaient en perspective les stalactites de leurs cristaux. Au fond du salon une grande salle carrée décorée de fresques délicates assistait au départ d'un escalier d'honneur garni d'une belle rampe ancienne.

Au premier étage, c'était l'intimité charmante des salons d'essayage, avec des chaises longues, des meubles de repos, des candélabres et des miroirs. C'est dans ce palais enchanteur que défila, quinze ans, toute la vie parisienne et exotique, dans ce qu'elle avait de plus raffiné.

Sur un des côtés du jardin se détachait la façade d'un deuxième hôtel particulier, que j'habitais personnellement. C'est là que j'installai une merveilleuse statue que j'avais achetée chez un importateur de Chine. C'était la plus belle pièce d'art qui eût jamais quitté le territoire oriental, que ce bloc de granit, représentant une Bodhisatva qui pouvait bien être la déesse de la Miséricorde, comme on me l'a dit, à moins qu'elle ne fût toute autre chose. Cet objet d'art était d'une telle beauté que je voulus lui restituer un cadre digne d'elle, et que je lui

sacrifiai toute une pièce au rez-de-chaussée de l'hôtel
qui donnait sur mon jardin. Je fis couvrir les murs d'un
enduit gris, et j'y fis placer un projecteur unique, de
sorte que la déesse retrouvait l'atmosphère qu'elle avait
connue dans les grottes de Long-Men ou d'ailleurs, dont
elle était issue.

Je passais des heures à la consulter dans les moments
troublés de ma vie ou bien je la contemplais dans son
halo de lumière, qui semblait l'habiller de tous les vœux
et toutes les prières dont elle avait été l'objet. Que de
potentiel humain était venu se briser sur ce granit impé-
nétrable ! Les six Chinois qui avaient prêté leurs épaules
pour la transporter d'abord à Pékin avaient été décapi-
tés. Elle avait été cachée deux ans dans les sous-sols
de l'hôtel des Wagons-Lits à Pékin, où elle avait attendu
un moment d'inattention des douaniers pour s'échapper
de Chine. Elle rencontra chez moi l'élite de la pensée.
Beaucoup d'artistes et de philosophes ont été introduits
devant elle, et quelques-uns se sont crus obligés d'y faire
des déclarations définitives, au lieu de se borner à admirer et de se laisser pénétrer par la grandeur métaphysi-
que et la beauté éternelle qu'elle irradiait. Quand vint la
guerre, je l'enfermai soigneusement, persuadé qu'en raison de son poids personne ne songerait à la voler. C'est
moi-même qui la fis sortir de son antre, en la vendant
au Metropolitan de New York. Je vais la voir à chacun
de mes voyages. Elle y occupe une place d'honneur dans
un aréopage de dieux et de déesses de la même époque
et de la même origine. Je ne crois pas qu'elle soit, comme
on me l'a dit, la statue de la Miséricorde. Je pense
plutôt, s'il y a une déesse de l'Hypocrisie, que c'est
celle-là, car son expression est perfide et le malheur
est entré avec elle dans ma maison. J'attribue à cette
déesse qui avait jeté un mauvais sort sur les six Chinois
de Pékin, toutes les misères qui m'ont assailli depuis que
j'ai fait sa connaissance. Faut-il ajouter que le jour
même où elle est entrée à New York, les Etats-Unis ont
décidé de prendre part à la Grande Guerre ?

Aucun regard indiscret ne pouvait plonger chez moi. Tous les visiteurs poussaient la même exclamation : « Avoir tout cela en plein Paris, quelle merveille ! » On m'avait dit : « Vous êtes trop loin. Vous n'êtes pas dans le mouvement des affaires, la clientèle ne vous suivra pas. Même les fournisseurs refuseront de vous livrer. » Mais je sentais bien que tout cela était faux et que la poussée vers l'ouest était irrésistible. Reconnaissez que depuis cette époque ce point extrême a été franchi ; on a enjambé les Champs-Elysées, qui sont presque démodés aujourd'hui, et on piétine aux portes du Bois.

L'audace d'un couturier qui rompait en visière avec les traditions de la rue de la Paix, et qui s'éloignait délibérément de la Voie Sacrée, ne fut pas immédiatement comprise. On discutait, on en parlait beaucoup dans les dîners, dans les cercles. Cela soulevait une vague de curiosité, et ce jardin plein de fleurs, qui mettait le comble à des frais généraux déjà réputés, excitait la critique des financiers. Un mois après l'ouverture, la partie était gagnée. Tout Paris avait défilé chez moi. De cinq à sept heures c'était une ruée. Les plus belles voitures automobiles de la capitale venaient faire autour de mon parterre des virages savants, et les femmes élégantes se délectaient de voir dans ce décor vivant, coloré, mais sans aucune prétention, marcher mes mannequins onduleux comme des nymphes. Tous les jours, quatre-vingts personnes me demandaient à voir le miracle de mes robes, s'épanouissant une à une, et je dus limiter la faveur de ce spectacle aux clientes qui étaient décidées à laisser des commandes. Cet ostracisme fit des mécontentes.

Un jour, Mme Henri de Rothschild me demanda au téléphone pour me prier de lui envoyer chez elle, à deux heures de l'après-midi, mes plus belles robes et mes plus beaux mannequins. J'acceptai de lui faire ce plaisir. N'était-elle pas la plus riche de mes clientes ?

Et n'étais-je pas le plus complaisant de ses fournisseurs ?

Une vendeuse partit à l'heure dite pour accompagner une escouade de jolies filles et je leur recommandai de revenir vite pour ne pas manquer le défilé de l'après-midi dans la maison. A 4 h 30, je les vis revenir, allumées, décoiffées, excitées et furieuses. « Monsieur, me dit la vendeuse, il faut que je vous raconte ce qu'elle vous a fait pour que vous lui écriviez une lettre comme vous savez les écrire. Elle nous a fait défiler devant ses gigolos, qui faisaient des réflexions désagréables et qui n'ont rien compris à vos robes. Du reste, ils ne regardaient que les mannequins. Quant à elle, elle avait l'air de trouver tout ridicule, et elle m'a dit, en me quittant : « Je savais que c'était laid, mais je ne pouvais pas croire que c'était aussi laid que ça ! » Vous ne pouvez pas supporter cela, monsieur... Il faut lui écrire, ou écrire à son mari. »

Je n'eus aucun ressentiment contre la baronne, et je répondis à ma vendeuse : « Ne vous en faites pas, la vengeance au pied sûr viendra frapper à ma porte. Pas de scandale. »

A quelque temps de là, comme la foule continuait à affluer chez moi, la vendeuse vint, avec un vaste sourire, me trouver dans mon bureau. « Monsieur, devinez qui est là ? La baronne Henri de Rothschild. Cette fois vous n'allez pas la rater, j'espère ? » Mon visage s'éclairait. J'avalais ma salive. Je me frottais les mains, comme une mangouste qui va frapper un serpent, et je descendis gaiement mon escalier. Tous les sièges de mon salon étaient occupés, il y avait même des femmes accroupies sur des coussins. C'était le silence recueilli et solennel des grandes heures. Je m'approchai de la baronne, la saluai ; elle était accompagnée de Mlle de Saint-Sauveur, qui confirmera peut-être un jour, dans ses mémoires, l'entretien suivant :

— Madame, lui dis-je, je sais que mes robes ne vous plaisent pas, vous en avez fait part à ma vendeuse dans votre maison, où j'ai déjà reçu un affront. Je ne désire pas en subir un autre chez moi et je vous prie de vous retirer.

Je vis le courroux monter de son cœur à son visage.

— Monsieur, me dit-elle, vous savez à qui vous parlez ?

— C'est justement parce que je le sais, madame, que je m'exprime ainsi : Veuillez vous retirer.

— Je n'ai pas l'habitude d'être mise à la porte par mes fournisseurs et je ne m'en irai pas.

— Madame, je ne me considère plus comme votre fournisseur. Cependant, si vous vous obstinez à rester ici, on n'y montrera plus mes robes.

Et me tournant vers l'assistance j'ajoutai :

— Les personnes qui désirent voir mes modèles sont priées de monter au premier étage où le défilé continuera.

La baronne fut debout et, une flamme dans le regard, me jeta ces paroles :

— Vous aurez de mes nouvelles...

Puis elle partit précipitamment.

Le lendemain matin, j'étais avec mes chefs de service dans le bureau vitré d'où je dominais toutes les activités de ma maison et qui s'ouvrait sur tous ses organes. Nous avions chaque matin un rapport, comme c'est l'usage dans l'industrie.

La vendeuse de la baronne entra en coup de vent :

— Monsieur, savez-vous qui est là ? C'est le baron de Rothschild, monsieur ; n'y allez pas, il va vous faire un mauvais coup...

Je descendis immédiatement pour ne pas le faire attendre, et je me présentai devant lui.

— Vous êtes monsieur Paul Poiret ? me dit-il d'une voix bien timbrée.

— Oui, monsieur.

— C'est vous, n'est-ce pas, qui avez mis ma femme à la porte hier ?

— Oui, monsieur.

Mon assurance lui plut, il parut réfléchir, son visage s'éclaira d'un sourire et il me dit avec douceur :

— Vous avez bien fait. Je connais quelqu'un qui adore vos robes mais qui ne désirait pas la rencontrer...

Et il partit...

Le lendemain même, je reçus la visite de Mme Gilda Darthy qui fut une de mes plus fidèles clientes.

Je n'attendais pas que mon succès grandît de lui-même. Je travaillais furieusement à l'accroître, et tout ce qui pouvait le stimuler me semblait bon. J'étais en pleine vogue à Paris. Je voulais forcer l'attention de l'Europe et du monde. J'organisai une entreprise colossale qui consistait à faire le tour des grandes capitales de l'Europe accompagné de neuf mannequins. Quand je songe aujourd'hui à la difficulté de réaliser ce programme, je ne sais pas si j'aurais encore la force de l'entreprendre. Car il ne s'agissait pas seulement d'emmener neuf mannequins, mais de les ramener à Paris, saines et sauves. Je ne voulais pas avoir l'air d'un barnum charriant des phénomènes, ni d'un entrepreneur de spectacles. Ma tournée devait garder un caractère distingué, et ma propagande dépendait de la bonne tenue de ces demoiselles.

Deux automobiles emportèrent les voyageurs. Tous les mannequins portaient le même costume. C'était un uniforme très parisien, composé d'un costume tailleur en serge bleue et d'un confortable manteau en plaid réversible beige. Sur la tête, un chapeau en toile cirée avec un P brodé. Ça avait beaucoup de chic. Un secrétaire général de la tournée voyageait par chemin de fer avec les robes, nous précédant dans les stations, organisant les séjours à l'hôtel ; il avait des précautions à prendre pour que le groupe de chambres consacrées au personnel fût inaccessible aux profanes et d'une surveillance facile. Il occupait généralement l'extrémité d'un couloir d'un côté, et moi de l'autre, pour former un barrage aux importuns.

Nous eûmes pourtant des heures difficiles, et notamment à Saint-Pétersbourg, où la jeunesse dorée se montra particulièrement audacieuse et enflammée. Les fleuristes et les confiseurs ont dû ces jours-là accuser des recettes sensationnelles. Mais rien ne passait, ni fleurs, ni bonbons, ni billets doux ou de banque. Nous travaillions à l'honneur de ma maison qui était incompatible avec ces libertés. Je finis par le faire admettre par mon entourage.

Aucun incident ne signala notre passage à Francfort ni à Berlin, si ce n'est la curiosité publique soulevée comme une rafale derrière nos pas. A Varsovie, nous étions guettés par la douane et l'administration russe. Je perdis deux jours à faire ouvrir mes malles et faire visiter mes bagages dans tous les bureaux où j'essayais de prouver qu'il ne s'agissait pas de marchandises, mais de costumes destinés au spectacle. On faisait semblant de ne pas me comprendre. Les recommandations étaient inutiles. On me voyait courir dans la gare, d'un bureau à l'autre, invoquant des appuis pour empêcher que les douaniers ne dépliassent de leurs mains sales les bas frais, les voilettes fragiles, les gants clairs ; ils prenaient un malin plaisir à chiffonner tout cela et je commençais à être sérieusement excédé, quand un voyageur inconnu eut pitié de moi. « Voulez-vous me laisser faire ? » me dit-il en voyant ma détresse, et tirant de son portefeuille deux billets de 100 roubles il les montra aux douaniers. Je ne sais pas ce qui se passa alors. Rien ne traîna plus sur les comptoirs, les malles étaient refermées, chargées sur une voiture, dirigées sur l'hôtel. Je recueillis des sourires et des coups de casquette de tous mes adversaires, devenus mes amis. J'avais fait connaissance avec l'Administration russe.

De Varsovie, nous allions à Moscou. C'était en novembre, il y avait de la neige partout, mais il faisait bon, et malgré cela les wagons étaient odieusement chauffés (nous avions dû prendre le train, les automobiles ne pouvant circuler sur les routes nous attendraient à Bucarest). Nous prîmes place dans deux comparti-

ments. Il n'y avait presque personne dans ce train de
luxe, et dans tout le couloir il n'y avait que nous, avec
un couple qui s'appelait Lazareff. M. Lazareff avait
une voix de stentor qui dominait le bruit du train.
Quelques minutes après le départ, mes femmes tombaient comme un château de cartes sous la chaleur
étouffante. J'ouvris la glace du compartiment — il y
en avait deux par portière — la seconde était plombée.
Je fis sauter le plomb pour permettre à mon personnel
de respirer. M. Lazareff, tonitruant, se plaignit. Cela
faisait un courant d'air dans son compartiment. Il
intéressa le chef de train à son malheur. Celui-ci vint
me faire des démonstrations, constata que j'avais fait
sauter le plomb, et en remit un autre, non sans m'exprimer, en russe, tout ce qu'il pensait de ma conduite.
Comme la chaleur était intolérable et que je voyais tout
mon monde tourner de l'œil, je pris le cendrier en bronze
qui est d'institution dans les wagons-lits du monde entier
et je brisai la seconde glace, pour avoir un peu d'air.
C'est ce besoin d'air qui fait sauter les poissons hors
de l'eau. Mais en arrivant à Moscou, je fus cueilli
à la sortie de mon compartiment par une escouade
de gendarmes prévenus téléphoniquement et les journalistes qui m'attendaient avec leurs appareils pho-
tographiques purent me prendre au milieu de cette
escorte.

Je ne traverserai pas Moscou sans arrêter mes souvenirs un instant dans la maison de Mme Lamanoff,
qui était une grande couturière de ces beaux jours, et
une amie à qui je garde toujours un pieux souvenir.
Elle m'a révélé toute la fantasmagorie de ce pré-Orient
qu'est Moscou, qui m'apparaît encore au milieu des
icônes, du Kremlin, des clochetons de Saint-Basile, des
Izwolchtnitks, des esturgeons monstrueux, du caviar
glacé, de la merveilleuse collection de tableaux modernes de M. Tchoukine et des soirées chez Yarhe. Que
Mme Lamanoff, couverte aujourd'hui par les cendres
et la lave d'un cataclysme politique, trouve ici avec son

mari l'expression émue de l'amitié et de la reconnaissance que lui doivent Tout-Paris.

Je me souviens toujours de l'étonnement que j'eus
de pouvoir communiquer par téléphone, en une minute,
de Moscou à Saint-Pétersbourg (car c'était alors son
nom), où j'arrivai le lendemain, pour donner une conférence et un spectacle.

Le spectacle eut lieu. Il était donné, dans chaque
capitale, au profit des entreprises de bienfaisance patron-
nées par les grandes dames, à Vienne par les archidu-
chesses, à Pétrograd par les grandes-duchesses, qui en
assuraient le succès, pour alléger les charges de leurs
œuvres. Quand je me rendis au théâtre de Pétrograd,
je fus frappé du nombre de croix au crayon rouge qui
figuraient sur les feuilles de location, et je félicitai
le buraliste de son activité. Il me répondit que ces signes
ne représentaient pas des places louées mais des sièges
réservés à la police. Plus il y avait de grands personnages dans la salle, plus le nombre de ces sièges était
élevé. On avait démonté les premiers rangs d'orchestre
pour y installer des fauteuils dorés venus de la Cour,
les seuls où pouvaient s'asseoir les plus augustes der-
rières, et j'eus l'étonnement, une demi-heure avant le
commencement du spectacle, de voir s'approcher des
soldats armés d'un crochet comme les douaniers, qui
fouillaient le crin des fauteuils avec ces instruments
pour s'assurer qu'ils ne contenaient aucune bombe ni
aucun engin meurtrier. Nous étions en 1912.

Toutes les précautions étaient bonnes, car les révolutionnaires étaient alors partout, on redoutait jusqu'à
mes mannequins qui auraient pu se livrer, de la scène,
à quelque attentat. Pour s'assurer que leurs atours ne
cachaient dans leurs plis aucune machine infernale,
le chef de la police, en uniforme, passa toute la soirée
dans la pièce même où elles s'habillaient. Paulette vint
se plaindre à moi de son indiscrétion et tâcha de lui
expliquer qu'il était gênant, mais il refusa de s'éloigner.
Quand le défilé fut terminé, je priai Paulette de lui

donner deux roubles de pourboire et elle les lui mit
discrètement dans la main ; il les accepta sans broncher.

J'étais positivement dégoûté de ma visite à Saint-
Pétersbourg, car ce qu'on pouvait voir à cette époque
de la Russie édifiait sur les promesses qu'elle pouvait
tenir. Quand je rentrai à Paris, je conseillai à ma famille
de vendre tout ce qui pouvait lui rester de titres russes
et je dis tout ce que je pensais de ce gouvernement
vermoulu qui était incapable de résister à la poussée
du peuple. Ma mère me répondit qu'il n'y avait rien
à craindre et que si un nouveau régime survenait, son
premier soin serait de reconnaître les engagements pris
par les systèmes antérieurs. Tels sont les enseignements
de l'expérience.

En quittant Pétersbourg j'allai à Bucarest où j'habitai
l'hôtel Boulevard. Le soir même de mon arrivée toutes
les voitures des dandys étaient alignées devant l'hôtel
et attendaient ces demoiselles pour les conduire à la
chaussée. Je dus décider qu'elles ne sortiraient pas et
je me rendis impopulaire auprès de ces messieurs. Nos
voitures personnelles ne nous attendaient-elles pas et
nos chauffeurs n'avaient-ils pas plus d'un avantage
sur les cochers de Bucarest dont la voix flûtée et
l'histoire lamentable faisaient l'étonnement de ma
troupe.

Je pourrais dire comme Figaro : « Accueilli dans
une ville, emprisonné dans l'autre et partout supérieur
aux événements », car en arrivant à Budapest j'eus la
surprise d'être arrêté. On me conduisit chez le chef de
la police, qui me posa mille questions sur le but de mon
voyage et m'expliqua que, n'ayant pas payé patente, je
ne pouvais faire aucun défilé susceptible de faire du
tort au commerce local ou de concurrencer les efforts
des tailleurs indigènes. Un des journaux locaux ayant
pris ma cause en main, la ville fut divisée en deux
camps et mon entreprise profita de la publicité née de
la controverse. J'ai gardé à Budapest quelques amis
avec lesquels nous rions encore de ces vicissitudes. L'un

d'eux ne s'était-il pas avisé de faire croire à mes mannequins que le fleuve qui baignait cette belle ville et
courait sous ses ponts centenaires n'était autre que
l'Hunyadi Janos, célèbre par la vertu laxative de ses
eaux, dont elles pouvaient éprouver les bienfaits en laissant les fenêtres de leurs chambres ouvertes aux vapeurs
de la nuit ! Et accompagné de ses amis, il vint leur
offrir le soir une sérénade de mandoline.

Quels que soient les charmes du voyage on est toujours heureux de rentrer chez soi ; on piaffait d'impatience à Vienne et à Munich et on brûlait de retrouver
à Paris un public de connaisseurs plus éclairés que partout ailleurs. Nous arrivions à la frontière allemande à
l'heure du déjeuner ; toute la troupe était affamée, il
fallut servir un repas dans les voitures mêmes. Un authentique pâté de foie gras de Strasbourg fut dévoré sur-
le-champ et arrosé de deux bouteilles de Pol Roger ; on
sentait l'écurie, je ne pouvais plus me rendre maître des
impatiences, c'est ce qui excusera les excès qui vont
suivre : ceux qui ont voyagé deux mois avec une petite
Française s'imagineront ce que c'est que d'en diriger
neuf.

Nos voitures étaient arrêtées sur le bord de la route
en dos d'âne, de sorte que les pare-brise des torpédos
empiétaient légèrement sur la trajectoire du tramway
à vapeur qui devait passer là. Quand il arriva, il dut
stopper à quelques mètres de nos véhicules et le conducteur descendit pour nous prier de lui laisser le passage :
il le fit dans des termes tels et avec une mimique si
violente et si exaspérée qu'il souleva les éclats de rire
de tous les délinquants ; furieux et excédé de ne pouvoir
se faire comprendre, car il ne parlait que l'allemand, il
fit mine de monter sur une des voitures et de la conduire
lui-même. Alors, les passions furent à leur comble et la
scène menaça de dégénérer. On voyait rouge ; je dus
prier tout doucement les chauffeurs d'avancer légèrement pour faciliter le passage du tramway, qui, d'ailleurs, pouvait éviter cette manœuvre. Il reprit son che-

min, nous aussi, mais quand nous arrivâmes au pont de Kehl, nous fûmes cernés par un barrage d'agents tout à fait impressionnant, alerté téléphoniquement par notre conducteur dont la fureur avait dû grossir en s'accumulant. On nous conduisit tous au poste et là, je demandai un interprète, qui se fit attendre assez longtemps. Ces demoiselles, dont le fou rire ne pouvait s'éteindre, demandaient à connaître les commodités de l'endroit et disparaissaient une à une. Quand l'interprète et le commissaire furent réunis, j'exhibai mes papiers et j'expliquai l'incident.

Le commissaire, voyant, par les coupures de journaux, à qui il avait affaire et lisant que j'avais été reçu à Potsdam par la famille de l'empereur, se montra plein de déférence et de mansuétude. Nous fûmes immédiatement relâchés, et c'est alors seulement que je compris tout ce qui était arrivé, car mes mannequins me montrèrent qu'elles avaient fait main basse sur tous les cachets qui couvraient le bureau du commissaire. J'évoquais en vain la figure de ce malheureux fonctionnaire privé de son matériel ordinaire, empêché de signer les laissez-passer et les pièces. Je n'obtenais que des rires et je fus bien forcé de m'en contenter. Après tout, nous avions passé le pont de Kehl et je n'avais pas envie de retourner de l'autre côté, mais maintenant que j'ai dit la vérité sur cette histoire, je me demande comment je serai accueilli si j'y retourne jamais.

VIII

MES DISTRACTIONS

Quelqu'un écrira quelque jour l'histoire des Mortigny, car je ne peux pas croire qu'on laisse se perdre un élément aussi caractéristique et aussi vivant de l'histoire de ma génération. C'était un cercle intime où l'on voyait, mélangés à des artistes plus ou moins connus, de grands mondains appartenant à diverses sociétés : M. L. Allez, M. Hamelle, le général d'Osnobitchine, attaché militaire à l'ambassade russe du tzar, le colonel Bentley Mott, attaché militaire à l'ambassade américaine, puis une poignée de grands-ducs, Boris, Cyrille, et autres. On y donna un soir un bal révolutionnaire, où je vis le peintre Eschmann taper familièrement sur la nuque du grand-duc Cyrille, qui portait un costume de ci-devant, et Eschmann disait : « Belle tête à couper, Monseigneur. » C'est dire qu'il y régnait une jolie familiarité.

Un jour, Eschmann était sur le yacht de M. Hamelle, en Bretagne, et comme il venait de pêcher un superbe maquereau, il dit à son hôte :

— Savez-vous ce que peut bien valoir un poisson pareil à Paris ?

M. Hamelle lui répondit :

— Je ne suis pas bien habitué à faire le marché moi-

même, mais il me semble que chez Prunier ça vaut bien
3 F 50.

Alors, Eschmann, plaçant le poisson dans un journal,
le lui présenta en lui disant :

— Monsieur Hamelle, je vais donc avoir enfin l'occasion et le plaisir de vous rendre en une seule fois
toutes les politesses que vous m'avez faites...

Puisque je suis en train de parler d'Eschmann, je
veux raconter une histoire capitale qui ne sera peut-être
pas du goût de tous mes lecteurs, mais que je trouve bien
charmante pour son côté parisien. Ai-je dit qu'on passait
tout à Eschmann, en raison des qualités étourdissantes
de son esprit et de sa gaieté ? Dans la société russe,
notamment, il s'était taillé des succès éclatants, et s'était
fait une large place. On ne donnait pas de fête sans lui.
Il était le centre des conversations dans ce milieu où on
aimait tant s'amuser. Un jour qu'on fêtait Pâques à
l'ambassade, il avait été prié à dîner, et après les agapes,
il se tenait au buffet, un verre de bordeaux à la main
(car il faut savoir qu'Eschmann était autorisé, dans toutes les sociétés qu'il fréquentait, à ne boire que du
bordeaux ; on connaissait son faible et sa fidélité à la
Gironde). L'ambassadrice, auréolée de cheveux blancs,
s'avança vers lui avec un joli sourire. Il la prit à pleins
bras par le cou, l'embrassa sur la bouche et lui
dit :

— Ah ! Gamine...

Il y eut un froid, le général d'Osnotbitchine, très
gentiment, s'approcha de lui et lui dit à mi-voix :

— Eschmann, mon cher, vous avez gaffé... on vous
aime beaucoup, on vous passe tout, mais vous abusez...
Peut-être aujourd'hui vous n'êtes pas dans votre état
normal, alors, venez avec moi, nous allons rentrer et
demain nous ferons une visite... Vous viendrez vous
excuser...

Eschmann, qui n'était pas du tout en état d'ébriété
et qui ne cherchait pas à s'excuser, répondit au général :

— Mon cher, on ne reprend pas un baiser à une

femme de soixante-dix ans, c'est grossier... Si vous estimez que j'ai commis un impair, je suis prêt à le réparer. Je sais que ça fera causer. L'ambassadrice est très riche, et moi je n'ai rien du tout, mais enfin, je veux bien passer outre, et s'il faut régulariser, je l'épouse....

On ne pouvait pas ne pas rire.

Et il y avait aussi Forain que Tout Paris connaît, aime ou redoute. Le portrait de Forain ? Si le diable se faisait ermite, ou s'il choisissait pour s'incarner les apparences d'un sacristain, il ressemblerait à Forain. Il aurait cette bouche à la fois rieuse et venimeuse, dont le rictus mâchonne un sarcasme perpétuel. Caricaturiste le plus sardonique de notre époque, célèbre par les dessins qu'il donnait au *Figaro* et qui sont aussi mordants par le trait que par la légende, Forain est d'abord un homme de classe dont il conviendra de tenir compte quand on écrira l'histoire de ce temps.

Je ne remonterai pas jusqu'à l'époque où il jouait un rôle politique dans l'affaire Dreyfus en dirigeant un fameux journal antidreyfusard. Je l'ai rencontré plus tard et je l'ai surtout fréquenté au cercle des Mortigny où il se frottait à la jeunesse. On l'a toujours connu avec un esprit féroce et des griffes dangereusement aiguisées. Je l'ai vu quelquefois l'été à l'époque où les hommes sont seuls et désœuvrés à Paris, nous déjeunions ensemble, il me comblait d'histoires et d'anecdotes savoureuses.

Un jour notamment, que nous déjeunions chez Larue, il me présenta Manzi qui était son marchand de tableaux. On se souvient qu'au lendemain de l'affaire Dreyfus, les marchands de tableaux israélites avaient jeté sur le marché tous les originaux de Forain et ils les avaient mis en vente à des prix infimes pour ruiner la signature du maître et le démonétiser ou le perdre dans l'opinion. Ils avaient compté sans l'adresse d'un des leurs qui était Manzi. Celui-ci racheta tous les originaux au prix de 5 francs l'un dans l'autre et composa la plus belle collection de Forain qu'on pût réunir à cette époque. Après l'apaisement, il fit une exposition retentissante et en tira un gros bénéfice. Forain me les présenta ce jour-là. « Voilà Manzi, me dit-il, le seul Juif qui ait roulé les Bernheim. »

Il avait une façon bien caractéristique de présenter ses mots, il traînait sur certaines finales et faisait un lit à l'effet qu'il voulait faire porter ; ainsi ses saillies étaient mises en valeur comme des perles dans un écrin.

Un jour que nous parlions de l'art moderne, je lui dis que la comtesse Greffulhe, qui est belge, avait fait construire un théâtre dans un de ses châteaux. Forain me regarda de travers et je compris qu'il allait donner un coup de griffe : « Un théâtre, la Greffulhe ? me dit-il, le théâtre de la Monnaie ! »

C'est à cette table que le comte Récopé vint lui serrer la main. Tout le monde ne connaît pas le comte Récopé ; c'était une sorte de petit amiral à favoris blancs, à l'œil méchant, qui tenait d'autant plus à son titre qu'il était très discuté. J'ai toujours entendu dire qu'il était comte du pape, ce qui, pour les connaisseurs, est une étiquette douteuse. Le comte Récopé s'approcha donc de Forain et lui dit : « C'est mon portrait que vous avez voulu faire dans votre dernier croquis du *Figaro* ? en ce cas il est méchant ! »

Forain lui répondit : « S'il était méchant ce serait bien autre chose !

— Je m'en doute, vous ne pouvez pas me sentir, vous voudriez me voir mort. Vous serez bien content de venir à mon enterrement. »

Et Forain, le regardant dans les yeux lui dit : « Je vous porterai une couronne, mais une vraie. »

Un autre jour, chez Prunier, c'était quelque temps après la mort d'Edwards. Il me racontait des histoires concernant l'étrange bonhomme qu'avait été ce directeur de journal (qui n'avait jamais pu s'entendre avec son père). Forain contait : « Et le jour de l'enterrement, comme il marchait derrière le corbillard, je connais quelqu'un qui a dit : « C'est la première fois qu'ils sortent ensemble. »

Puis, il me conta d'autres histoires relatives à Edwards, et au père d'Edwards qui, me disait-il, avait été le dentiste des pachas de Turquie, et comme ces messieurs n'aimaient pas à souffrir, il avait fait une grosse fortune en introduisant l'habitude de les soigner à la cocaïne, dont la découverte était récente. Les femmes n'étaient pas moins lâches que les hommes ; il avait donc soigné aussi les harems, et, à la faveur de son traitement, il avait vendu à ces dames du champagne authentique, dont elles étaient très friandes. Mais le Coran s'opposait à l'importation du vin en Turquie. Il eut donc de graves ennuis, et trouva le moyen de les tourner, en livrant son champagne (une bibine sucrée de troisième classe) dans les clysopompes, dont le modèle était très usité en Turquie, au lieu de l'enfermer dans des bouteilles. Telle était l'origine de la fortune d'Edwards, au dire de Forain. Il était tellement amusant en me racontant ces histoires que nos voisins de table avaient repoussé leur journal et prêtaient l'oreille à ses propos.

Il n'était pas insensible aux sourires de la galerie et il donnait tous ses effets.

Puisque je parle des Mortigny et de Forain, je serais impardonnable de ne pas évoquer la touchante image d'Abel Truchet, qui était en bonté ce que Forain était en cruauté. Truchet, qui avait connu des débuts sévères, en avait gardé une bonhomie charmante. C'était un sentimental et un tendre, qui quelquefois montrait les dents, croyant se donner l'air méchant, mais en réalité pour masquer les vibrations de sa sensibilité. Il avait rendu service à tout le monde et fatigué toutes ses relations pour procurer un appui à celui-ci, des ressources à celui-là, démarcheur avisé et politique à l'époque où les salons de peinture distribuaient leurs médailles et leurs

récompenses. J'ai deux histoires à raconter qui diront
mieux qu'un portrait la physionomie d'Abel Truchet.

On le vit un matin, avec sa barbe en pointe et son
chapeau de rapin, installer son chevalet sur une berge
de l'Odet, à Quimper ; comme il commençait à travailler, les gamins s'enhardissaient et s'approchaient de lui
jusqu'à le gêner. Il y en avait de plusieurs aspects. Un,
entre autres, rose et blondinet, était si charmant que deux
vieilles dames qui passaient l'apostrophèrent, l'appelant
« Petit Jésus » et lui donnèrent deux sous. Truchet, qui
avait assisté à cette scène, avisa le plus hirsute et le
plus morveux de la bande, et lui donnant quatre sous
lui dit avec des larmes dans les yeux : « Alllez, hop,
toi, va te moucher », et il dit à sa femme qui était là :
« Il est trop laid, celui-là, personne ne lui aurait jamais
rien donné ! »

Sa femme travaillait généralement à ses côtés et
partageait ses joies artistiques. Un jour qu'il peignait
à Venise devant Santa Maria della Sallute, tout marchait
bien, l'effet venait facilement, il écrasait ses tubes sur
sa palette avec ivresse et, dans un moment d'expansion,
se tournant vers Julia, il lui dit : « Crois-tu, on paierait
pour faire ce métier-là ! »

Il y avait encore, avec ceux qui précèdent, beaucoup
de Mortigny qui méritent un portrait, mais je ne veux
pas couper l'herbe sous le pied de mon ami Bain, qui
doit à ce cercle d'écrire un jour son amusante histoire.

Quand je sentis que la fortune me souriait et que j'étais
soutenu par une vague d'argent, je me livrai un peu
plus largement à mes sports et à mes plaisirs. J'aimais
les bateaux ; les frères Monnot, mes amis, m'avaient
inculqué le goût de la voile à l'époque même où ils
avaient fait ma connaissance chez Doucet. Ils m'avaient
attiré au club nautique de Chatou dont je fus avec
eux un pilier. C'était une aimable société de jeunes
yachtmen chez qui le goût du sport n'excluait pas celui
des arts d'agrément. Il y régnait une bonhomie et une
camaraderie parfaites qui me séduisirent. Je me sauvais

à Chatou chaque fois que je pouvais me reposer. On y trouvait encore les traces et les souvenirs des grands devanciers : de Maupassant, de Renoir, de Sisley, de Monet, de Pissaro, de Caillebotte et de Caran d'Ache, qui avaient fréquenté la « Grenouillère » et le garage Fournaise. Monnot connaissait plus d'une histoire piquante à leur sujet et nous nous plaisions à faire parler ceux qui les avaient connus notamment un mauvais sujet de menuisier nommé Langlais et qui était le plus drôle des drôles.

J'avais fait en bateau à voile plusieurs descentes de la Seine. On allait à petites journées de Chatou au Havre en s'arrêtant dans les plus jolis coins de verdure pour déjeuner ou pour coucher, car on dormait dans son bateau.

Voici comment je rendis compte d'une de ces croisières dans un journal de yachting :

JOURNAL DE BORD
D'UN MONOTYPE

C'est le dimanche de la Pente-
    Côte ; on est à Mantes
        Il vente.
Le Fleuve s'enfle. Il se fait de la houle.
Sur le pont s'annonce une foule
Qui s'étonne de voir sur l'eau vive qui brille
        La menue flottille,
            Qui frétille
            Au mouillage.
9 h. — Appareillage
On embarque les vivres, les munitions,
        Les provisions
        Et puis « Oh ! hisse ! »
            On hisse.
Avec le bruit strident des drisses,
        Dans les poulies, qui glissent.
Et tous les équipiers, en hâte, s'interpellent

Et s'appellent :
« Ah non, vraiment,
Il fait trop de vent !
C'est plus prudent
De prendre un ris ?
Dis ?
— « Un ris ?
Tu ris ?
Moi, je garde toute ma toile !
« Allez, va-z-y. Roule ma voile
« Il prend un ris ! Quel veau !
« Un ris de veau.
« — Vous prenez un ris, vous ?
— « Moi ? — Je m'en fous
J'ai une bôme à rouleau
— « Attention au pain qui se mouille
— « Eh larguez-moi ! Je suis paré

. . . .

On voit Cold-Cream aborder à la rive
Qu'est-ce qui lui arrive ?
— Presque rien. Une claque de vent
A cassé son gréement,
Heureusement,
Toto est là et l'équipier en robe
Ne tarde pas à trouver le microbe
De l'Avarie, et l'on repart.
Pour ne pas arriver trop tard
A l'Ecluse,
On prend la remorque. On s'amuse
A déballer les provisions
De bouche.
Desouches
Organise à son bord une réception.
Poulets froids, œufs durs,
Confitures,
Jambonneaux,
Que Monnot
Arrose d'une très vieille

Bouteille
De bordeaux

. . . .

Il fait un ciel de mélodrame
Le vent lève d'énormes lames
Moisson
La Roche-Guyon. — Passons.
4 heures. — Port-Villez. L'arrivée est superbe.
Les embruns sont violents et l'eau jaillit en gerbes
Flag Flag
Bondissons, bondissons sur la crête des vagues
Puis encore une fois, derrière le Mabelle.

On s'attelle
A 6 heures,
En passant le pont
de Vernon
Nous recevons
Des fleurs
Un petit moulin paraît sur la droite
Puis un vieux château avec sa tourelle.
« Ah ! s'écrie Gautier, si j'avais ma boîte
D'aquarelle ! »

. . . .

Le soleil mourant s'abaisse
Et sombre
Et l'ombre
Tombe toujours plus épaisse
Eteignant,
Etreignant
L'horizon frangé d'or et les contours des choses
Roses,
Tandis que déjà la lune illumine,
Lune au masque tragique
Lune pâle et argentine
Comme la République ;
Et dans le long, long sillage
Derrière nous, qui déferle
Elle baigne toute blanche,

Elle fait la planche,
Et dans le tremblant moirage
C'est tout un troublant mirage
De perles...
Que Château-Gaillard, le soir, est joli !
Devant les créneaux ruinés du castel.
« Bon, s'écrie Potheau, on a démoli
L'Hôtel

.   .   .   .

On flaire la brise. On hume.
Rien qu'une épaisse brume.
Phébus paraît, la disperse
Et la perce.
7 heures. Départ. Hélas !
Glandaz
Ne vient pas
Nulle brise matinale,
Mais le courant nous dévale
Le paysage est superbe
Que d'herbe ! Que d'herbe !
« — Oh ! la petite maison,
Cachée dans ce bouquet touffu de frondaison !
— « Chut ! Entendez-vous
Le coucou ?

.   .   .   .

A midi on prend encor la remorque
Gauderman extorque
De sa boîte en bois blanc un tas de bonnes choses
Que l'on mange et tandis qu'après on se repose..
Jusques à l'Ecluse de Poses,
Cold-Cream, que le · champagne arrose,
Devient le dernier cock-pit où l'on cause.
2 h. 30. — On largue
Un beau vent largue
Nous autorise à faire un départ admirable.
Les quatorze bateaux se penchent tous ensemble
Et semblent
Un vol de grands oiseaux de mer inséparables.

A l'époque que je suis en train de raconter, je m'accordai la joie d'un house-boat. Je le fis construire à Maisons-Laffitte avec le conseil de Louis Sue qui était un bon architecte et un charmant ami. Il prit part à ma première croisière qui ne fut pas ce qu'un vain peuple pense, car nous partîmes de Maisons-Laffitte pour atteindre la Bretagne et mouiller dans un petit port voisin de Lorient. Je dois bien quelques explications de ce phénomène : nous avions remonté la Seine jusqu'à Saint-Mammès, nous étions remorqués par un bateau que j'avais fait venir d'Arcachon ; il était du genre qu'on nomme pinasse ; les deux bateaux ne calaient ni l'un ni l'autre plus de 30 cm de sorte que nous pouvions atterrir partout. A Saint-Mammès nous prenions le canal jusqu'à Orléans et nous voilà dans la Loire qui, cette année-là précisément, était navigable. Je prend un pilote, car il faut bien connaître ce fleuve pour s'y aventurer et nous descendons à petites journées, nous arrêtant partout où cela nous semble beau. Jamais voyage ne me parut plus reposant. Je jouais de l'accordéon sur le pont en me laissant aller à la contemplation des longs rideaux de peupliers qui bordaient les canaux monotones mais toujours riants et si intimes ! Nos soutes se remplissaient de vin quand nous avancions dans les parages de Chinon, de Bourgueil et de Vouvray. Puis ce furent ceux des coteaux de Saumur et de l'Anjou, le muscadet à Oudon, de sorte que nos soutes étaient bien lestées en arrivant à Nantes.

La France est si riche en bonnes choses qu'on peut échantillonner partout des spécialités gastronomiques, poulardes du Mans, rillettes de Tours, andouillettes de Vouvray, etc.

Nous nous engagions dans le canal de Nantes à Brest, puis, par le Blavet, nous descendions jusqu'à Port-Louis. Alors, j'attendis un beau temps et, un matin, avant l'aube, je levai l'ancre pour prendre la mer, par un « calme plat » miroitant sous le clair de lune. Je

pénétrai dans toutes les petites anses de la Bretagne,
qui s'ouvraient à tribord.

La rivière de Quimperlé m'ouvrait son estuaire enchanteur, puis le Pouldu, puis le port de Douëllan et
je m'arrêtai dans le coin le plus beau de la Bretagne,
celui qui n'est connu d'aucun voyageur et qui est vierge
d'automobiles depuis toujours. J'y passai des vacances
heureuses. J'avais avec moi un bateau à voile et je
pêchais ; j'avais ma cuisinière de Paris, qui accom-
modait à ravir tout ce que je lui rapportais. C'était
un pays de Cocagne. Segonzac, Boussingault, Sue,
Jacob, tous mes amis, ont connu ce bateau qui s'appelait *le Nomade,* et y ont partagé mon séjour. Le soir,
après le bon dîner, nous causions longuement de beaux-
arts, de littérature, devant des Calvados et des marcs
choisis, et nous consolidions nos idées et nos opinions
sur la beauté. J'étais toujours surpris de voir combien
les peintres ont de paresse à saisir leurs pinceaux et
je m'étonnais du peu d'activité, du peu d'empressement
qu'ils mettaient à manifester leur talent. Il me semblait
que si j'avais eu leur pouvoir et leur savoir-faire, j'aurais
couvert les portes et les panneaux des murs de la représentation de la nature. Quelle fougue j'avais à cette
époque, quel besoin de travailler et de produire ! Je
n'ai jamais vu personne qui m'égalât sous ce rapport.

La nuit je voyais les barques de pêche aux grandes
voiles brunes, glisser le long de mon bord et, en
silence, se diriger vers le large. Je partais quelquefois
avec les pêcheurs. Par un beau matin, où le vent était
favorable, j'appareillai mon propre bateau et je fis voile
vers l'île de Groix. En route. Je fus littéralement entouré
par une multitude d'oiseaux de mer. Je me trouvais
comme dans une volière. Mon matelot me dit que nous
étions sur un banc de poissons, et effectivement, ayant
mis les lignes à l'eau je tirai en une demi-heure cent
maquereaux hors des flots. Quand nous touchâmes
Groix, un grain se levait et je compris que la tempête
ne nous permettrait pas de rentrer le jour même. Je

demandai à mon matelot s'il avait de l'argent. Il n'en avait pas ; moi non plus, étant parti en toute hâte. Il fallait pourtant passer la nuit dans cette île. Je mis tout mon poisson dans un panier et de porte en porte j'allai le vendre. Le lendemain, je décidai de rentrer à mon bord, mais la tempête sévissait encore et je démâtai au large du Pouldu. Ce sont des souvenirs comme celui-là, pleins de santé et de nature qui, à mon avis, parfument le plus les heures de ma jeunesse. On me pardonnera de me laisser aller à les raconter.

Quand la belle saison était passée, je laissais mon bateau en Bretagne, et il m'y arrivait d'y revenir l'hiver passer un, deux ou trois jours avec des amis, chasser quelques oiseaux au large. Je revenais de ces fugues en offrant ma chasse et ma pêche au réfectoire de mes employés, avec qui j'entretenais une étroite camaraderie. J'aimais beaucoup mon personnel et je ne rêvais qu'à améliorer sa situation. Quand je fus en Amérique, j'étudiai avec intérêt tout ce que tentent les industriels des grandes villes en faveur de leurs petits collaborateurs. Il y a les bains, les salles de repos, les bibliothèques, les salles de danse, les phonographes et les rocking-chairs, sur le « roof » de la maison, pendant les heures de soleil. J'avais rêvé d'adapter tous ces progrès et toutes ces innovations au personnel d'une grande maison de Paris. Mais je ne tardai pas à m'apercevoir que les ouvrières et les employées parisiennes n'apprécient guère les bienfaits d'un patron. Elles n'aiment rien tant que la liberté, et on ne peut leur plaire qu'en leur donnant la clef des champs. Se frotter les joues d'un peu de rouge brunette, se mettre une écharpe au cou, une petite cloche sur la tête et un pépin sous le bras, voilà le geste familier et libérateur qui les enchante le plus.

Je reviens à mes voyages et je dois raconter celui que je fis en 1910 (plus je remue mes souvenirs et plus je m'étonne d'avoir pu réaliser tant de choses en si peu de temps). J'avais loué un grand yacht dans le port de Marseille. C'était un bateau à vapeur nommé *Henriette* qui appartenait à M. de Neuville, banquier. Il jaugeait 400 tonneaux, mesurait 70 mètres de long et occupait quinze hommes d'équipage. Je résolus de lui faire entreprendre une croisière en Méditerranée et d'inviter quelques amis à m'accompagner. C'était des camarades du cercle des Mortigny, Berquin, Jourdan, Lièvre, Boussingault et Segonzac, tous peintres. Puis mon ami Brown qui adorait la navigation.

Ce bateau, qui m'avait paru énorme dans le port de Marseille, ne pesait pas lourd au large. Il roulait affreusement et embarquait de l'avant. Je passais donc les nuits à surveiller sa marche, tandis que mes camarades qui avaient mis leurs existences entre mes mains, dormaient avec confiance. De plus, j'eus toutes les tribulations qu'on imagine avec l'équipage. Je n'avais pas pris soin de m'assurer qu'il serait habillé. Cela me paraissait si naturel. Dès le départ, j'eus la surprise de voir mes hommes porter des bottines à boutons et des petits paletots marrons. Respectueux des traditions du yachting, j'aimais la coquetterie à bord. Rien ne me paraît plus beau que l'ordonnance et la discipline des marins. Je fis donc habiller tout le monde et j'exigeai de la tenue. Mais le commandant donna le signal de l'anarchie le jour où il parut sur le pont emmitouflé dans un châle de laine et portant sur la tête un passe-montagne que sa Pénélope lui avait tricoté, avant le départ.

Notre première escale fut Ajaccio. Là, le premier cuisinier, saoul comme une grive du pays, arpenta le pont, son coutelas à la main, déclarant qu'il voulait tuer celui qui l'approcherait. Je l'approchai avec mille précautions et causant amicalement avec lui, je l'amenai à terre par la passerelle et dès que nous fûmes sur le plancher des vaches, j'ordonnai qu'on levât ce passage. Il était donc effectivement débarqué. Je prévins le consul et embauchai un autre cuisinier. Dans chaque localité que nous traversions, j'avais des tribulations de ce genre, soit avec les soutiers, soit avec les gabiers, et tandis que mes amis visitaient les villes, je passais mon temps chez les syndics maritimes, en formalités et en démarches. Je jurai bien, de retour, que si je faisais encore une croisière, ce serait à titre d'invité. Néanmoins, nous passâmes dix semaines exquises en Méditerranée, visitant Naples, Amalfi, Pestum, la Sicile, Sousse, Kairouan, Tunis, Bougie, Constantine, Alger, Oran, Almeria, Alicante, Valence, Tarragone, Barcelone, Sète, et c'est à regret que nous dûmes abandonner nos pantalons blancs et nos casquettes de yachtsmen.

Je ne pouvais me détacher de la société de mes amis, qui entretenaient chez moi un état d'esprit bienfaisant par leur éternelle gaieté et leur admirable indépendance, mais j'avais toujours la déception de les voir si peu épris de leur métier qu'ils pouvaient résister pendant deux mois et demi à la tentation de saisir leurs pinceaux pour brosser une pochade devant tant de choses qui méritaient d'être racontées. Aucun de mes camarades n'éprouvait le besoin de peindre, pendant toute cette croisière. J'en étais comme choqué et c'est moi un jour qui saisis ma palette pour faire en deux heures le portrait de mon ami Brown, dans le calme bleu qui avoisine Sorrente. Il jouait de l'accordéon pendant que je le peignais...

Ce que j'avais vu des pays arabes m'engageait impérieusement à y revenir. Je me sentais une âme d'oriental et je ne pouvais résister à l'attraction de ces pays de soleil. Je devais y retourner au lendemain de la guerre.

IX

LA GRANDE COUTURE

Ce chapitre sera un cours élémentaire de grande couture.

Le personnel d'une maison de couture est composé de plusieurs catégories d'employés. Il y a d'abord les techniciens, c'est-à-dire les essayeuses et les premières, et leurs ouvrières. Ce sont elles qui font les modèles sous l'inspiration des modélistes. Elles sont les exécutantes des intentions du créateur, elles doivent se les assimiler et leur donner une forme impeccable. On ne conçoit pas en effet une nouveauté qui ne serait pas parfaitement essayée, une innovation qui pêcherait par défaut de technique.

Dans une grande maison, une première gagne en moyenne 60 000 francs par an et doit avoir, selon moi, un certain degré de culture. Si ses moyens d'existence ne lui permettent pas de vivre dans une certaine aisance, elle est incapable de comprendre les raffinements et les recherches du modéliste qui, lui, est, par définition, un artiste de luxe.

J'ai eu de bonnes premières, qui connaissaient parfaitement leur métier et qui étaient des travailleuses pleines de valeur, mais à qui il manquait cette compréhension et cette assimilation à l'intention et à la fantaisie de

l'inventeur. Exemple : Antoinette, à qui je conseillais
un jour de prendre un amant, car c'était une vertueuse
vieille fille, et cette particularité l'empêchait d'éprouver
le charme sensuel qui est l'expression même d'une robe.
Il pourra, à des profanes, sembler étonnant que cette
considération joue un rôle dans la valeur d'une employée
de commerce. C'est pourtant, à mon avis, un principe
indéniable en ce qui concerne la couture, que des
employées dont les sens ne sont pas cultivés ne peuvent
y jouer qu'un rôle limité. Il est possible que Paris soit
la ville où fleurissent les fantaisies de la mode, précisément parce que Paris est la ville où se développe le
plus librement la vie sensible et voluptueuse.

Une bonne première doit sentir la signification et
les détails d'une toilette. Pour des êtres raffinés et
arrivés au même degré d'évolution sensuelle et intellectuelle, il n'y a dans une robe comme sur un tableau
qu'un point où on peut placer une tache de couleur.
Elle ne satisfait ni là, ni là ; c'est ici qu'il faut la mettre.
C'est une sorte de besoin ou d'instinct qu'on satisfait
et qu'on assouvit en épinglant le détail juste au point
précis où il doit être. Tous ceux qui se sont consacrés
à l'art, ou mieux à la science du cubisme ou simplement
de la composition, ont établi qu'il y avait une géomé-
trie secrète qui était la clef de l'esthétisme. Ce qui
est vrai des lignes et des volumes est vrai des couleurs
et de leur valeur. Les femmes possèdent généralement
cet instinct originel mais perfectible qui leur permet de
juger si un détail est à sa place, ou s'il a l'importance
et la couleur qui conviennent. Une première dépourvue
de ce don essentiel ne vaut rien.

Mais elle doit aussi connaître à fond son métier pour
avoir de l'ascendant sur sa cliente et lui inspirer
confiance immédiatement et une fois pour toutes. Elle
doit en outre posséder une grande douceur de caractère
et une patience angélique. Je ne saurais décrire les scènes
qui se déroulent dans les salons d'essayage de certaines
maisons que j'ai connues, où les clientes, fatiguées par

les longues stations verticales, deviennent nerveuses,
pleurent, et vont parfois jusqu'à déchirer leurs robes
dans des mouvements de rage. Il m'est arrivé bien des
fois de mettre fin à une crise de ce genre. Il y a deux
écoles : ou bien j'arrivais dans le salon avec le calme
infini qui m'a toujours servi et je disais à la cliente exaspérée : « Madame, calmez-vous, vous vous êtes probablement trompée en commandant, votre robe ne vous
satisfait pas. Je ne veux pas que vous vous rendiez
malade pour une bagatelle, laissez-la. N'en parlons plus.
J'en ferai un joli coussin et nous vous ferons autre
chose, ce que vous voudrez. Ne la regardez pas, puisque
sa vue vous blesse. On va vous la retirer. » Il arrivait
parfois qu'à ce moment la jolie cliente apaisée reprenait
goût à sa robe et s'y attachait. D'autres jours, selon
l'opportunité, je me montrais implacable et je disais :
« Madame, vous êtes venue chez Poiret sachant que
Poiret est la première maison du monde. Eh bien, Poiret,
c'est moi, et moi je vous dis : c'est bien. Cette robe est
bien, elle est belle et elle vous va. Si vous ne l'aimez
pas, tant pis, retirez-la, mais je ne vous en ferai jamais
d'autres. Nous ne sommes pas faits pour nous comprendre. » Cet argument avait aussi sa valeur et son effica-
cité.

Ensuite, viennent les vendeuses qui sont par définition
des marchandes et rarement des connaisseuses. Très peu
d'entre elles dirigent le goût de leurs clientes ou exercent
une influence sur leur choix. Elles ont généralement
affaire à des femmes qui ont étudié longtemps leurs
moyens de séduction et qui se connaissent assez pour
savoir ce qui leur est seyant. Une Parisienne notamment
n'adopte jamais un modèle sans y faire des changements
capitaux, et sans le particulariser. Une Américaine choisit le modèle qui lui est présenté, elle l'achète tel qu'il
est, tandis qu'une Parisienne le veut en bleu s'il est vert,
en grenat s'il est bleu, y ajoute un col de fourrure, change
les manches et supprime le bouton du bas. C'est M. Pa-

tou qui, le premier, a prétendu que l'avenir de la grande couture était dans la confection. Il prêchait pour son saint, car cette manière de voir est une hérésie qui suppose une certaine ignorance de la grande couture. La grande couture consiste précisément à développer l'individualité de chaque femme. Le modèle ne peut être qu'une suggestion et non une sujétion. Il devrait y avoir autant de modèles qu'il y a de femmes. Le rôle de la vendeuse idéale consiste donc à apporter au thème du modèle des variations sans nombre, relatives à chaque cliente.

Or, il y en a bien peu qui remplissent leur emploi en tenant compte de cette qualité. Excitée par l'émulation, par l'appât du gain et par le désir de réaliser un gros chiffre, chacune d'elles veut faire beaucoup d'affaires et les fait mal.

Une troisième catégorie d'employées est celle qui vaque aux soins de la manutention, c'est-à-dire achète et reçoit les tissus, commande les broderies, la mercerie, les boutons, calcule et mesure l'emploi des matériaux, et donne aux ateliers tous les éléments nécessaires à la constitution de la commande. Une bonne manutentionnaire doit connaître Paris et ses ressources dans toutes les branches, savoir la spécialité de chaque fournisseur, ses aptitudes et ses moyens, et pouvoir se procurer sans délai tout ce qui lui est demandé, avoir l'œil juste pour assortir les nuances, et être doublée d'une conscience irréprochable.

Voici les trois éléments essentiels d'une maison de couture. Tout le reste appartient au domaine artistique, et ici je veux parler des mannequins.

Le mot est très mal choisi. Le mannequin n'est pas cet instrument en bois, dépourvu de tête et de cœur sur quoi on accroche les robes comme sur un portemanteau. Le mannequin vivant qui a été créé par le grand Worth, premier du nom, initiateur de l'industrie de la grande couture, prouve bien que le mannequin de bois ne répon-

dait pas à ses besoins. Le mannequin vivant, c'est une
femme qui doit être plus femme que les femmes. Elle
doit réagir sous un modèle, aller au-devant de l'idée
qui prend naissance à même ses formes, et aider par ses
gestes et ses attitudes, par toute l'expression de son
corps, à la genèse laborieuse de la trouvaille.

J'ai eu beaucoup de mannequins, et très peu qui
fussent dignes de leur sacerdoce. Peut-être n'ont-elles
jamais eu l'idée du rôle qu'elles pouvaient jouer dans
l'éclosion de ma pensée. Je me souviens de l'une d'elles,
qui s'appelait Andrée. Elle était sotte comme un dindon,
mais belle comme un paon. Si je lui disais le matin :
« Andrée, tu es la plus belle de toutes mes femmes »,
son sourire s'épanouissait pour laisser voir ses dents
éclatantes. Elle était comme une actinie qui se développe dans la mer sous les bienfaits d'un courant chaud.
Elle palpitait pour toute la journée et se dilatait : elle
faisait la roue. Elle apparaissait alors dans mes salons
comme une Messaline, comme une reine de l'Inde, pré-
tentieuse, majestueuse et hautaine, et son port de souveraine faisait réfléchir les princesses authentiques
devant lesquelles elle se pavanait. J'ai vu plus d'un duc
mordre la pomme de sa canne, pour se donner une
contenance et caler son monocle pour mieux l'observer.
Hélas, quelle surprise ! Combien de déceptions aura-
t-elles causées ? Suis-je le seul à savoir que cet oiseau
merveilleux dissimulait la plus sordide académie, qu'elle
était d'une physiologie ruinée, qu'elle avait deux seins
flasques et inavouables, et qu'elle devait les rouler
comme des crêpes pour les faire entrer dans la pompe
de ses corsages !

Yvonne avait été servante dans une grande pâtisserie
de Biarritz. Elle avait toute la grâce et la distinction
d'une grande dame, des traits fins et émaciés, un regard
distant, un sourire stéréotypé. Sa minceur et la fraîcheur
de son teint la faisaient comparer à une orchidée. C'était
à coup sûr une fleur rare. Je la voyais se promener devant
les femmes, jouer de l'ombrelle ou l'éventail avec une

grâce savante, et j'admirais sa démarche de flamant rose, en songeant qu'elle avait été décousue, ouverte et recousue par tous les chirurgiens de la terre et que son corps n'était qu'une longue cicatrice, ce qui ne l'a pas empêchée de plaire et de réussir.

Yvette fut une de mes étoiles. C'était une petite Parisienne des Batignolles qui avait une voix de trompette d'un sou. Heureusement, ses fonctions ne l'obligeaient pas à parler. Elle était vive et allègre, avec une grande bouche toujours souriante et des yeux si intelligents, qu'ils éclairaient tout ce qu'on lui mettait sur le dos. Elle avait du goût, comprenait ou devinait tout ce qu'on voulait exprimer sur elle, allait au-devant des intentions et se prêtait à l'exécution d'un mouvement nouveau avec souplesse et intelligence. Je ne suis pas étonné qu'elle se soit montrée cruelle envers un galant ambassadeur.

Paulette fut longtemps ma préférée, parce qu'elle répondait le mieux au genre de robes que je pratiquais alors, peut-être précisément parce qu'elle me les inspirait. C'était une blonde vaporeuse, dont les yeux bleu clair semblaient être en porcelaine ou en verre. Des bras ronds, des épaules potelées, elle était grassouillette et bien roulée comme une cigarette. Quelle belle petite Française ! Je lui fis un jour une robe Bastille, en mousseline rayée rouge et blanc, avec une cocarde tricolore. Elle aurait fait sauter toutes les portes d'une prison. Elle a porté aussi une robe écossaise, avec une petite veste de velours noir et un béret, dont tous les Scotchmen du 42ᵉ auraient été jaloux. La façon dont elle donnait la vie à ce que je lui mettais sur le dos pouvait vraiment s'appeler une collaboration, et c'est précisément ce que je voulais dire au début de cette nomenclature : le mannequin doit s'assimiler l'esprit de sa robe et jouer son personnage, revêtir son rôle. Sous ses apparences angéliques, le regard bleu clair cachait une malice, et peut-être un vice, dont je n'ai pas connu la profondeur. J'ai dit que j'avais un bureau d'où il m'était permis de plonger dans toutes les activités de mes ser-

vices. C'est grâce à ce dispositif que je vis un jour ma
Paulette faire à ses camarades réunies comme en classe,
un délicat cours d'amour.

Je citerai encore la petite Andrée, blonde miniature
de femme, réduction de la Pompadour.

Simone, grave et recueillie, semblable à une nonne
qui, d'un œil sournois, guettait dans la glace les effets
de l'étoffe pour mieux les souligner et les seconder.
Mais pour quelques-unes qui s'intéressaient à l'œuvre,
combien en trouverais-je qui, sans partager les affres de
la création, accordaient la présence de leur corps avec
indifférence. Celles-là méritent bien d'être appelées du
triste nom de mannequin.

Je n'ai pas parlé des comptables, parce qu'ils sont à
peu près les mêmes dans toute industrie, c'est-à-dire
monotones, étroits et routiniers, ignorants des égards
que l'on doit à une certaine classe de clientèle et impa-
tients de toucher leurs factures, ratiocinant sur tout,
incapables de faire vivre une maison, mais habiles à
la plonger en léthargie et à l'anesthésier, en comprimant
ses organes essentiels. Je n'ai connu qu'un seul admi-
nistrateur vraiment digne de ce nom : ce fut mon fidèle
Rousseau, à qui j'accorde un hommage majeur. Il était
entré chez moi au salaire modique de 500 francs par
mois, doutant de pouvoir me rendre service. Travailleur
modeste mais acharné, il s'assimila les rouages et le
mécanisme de ce métier nouveau pour lui. Il en contrôla
le jeu et en très peu de temps sut exactement où atteindre
les résultats, qu'il rendit magnifiques. Exerçant une
douce surveillance sur la main-d'œuvre, une juste pres-
sion sur les efforts de chacun, un examen permanent des
opérations de vente et un laminage systématique des
achats, il fit ressortir à 42 % les bénéfices nets de son
exploitation, dans une époque qui commençait à être
difficile (1911). C'était, de plus, un ami charmant, pater-
nel et affectueux, avec qui j'ai travaillé comme un frère.
Il ne m'a jamais refusé les sacrifices que je lui deman-

dais pour satisfaire mes fantaisies. Si je songeais à donner une fête coûteuse, à réaliser une folie, je l'abordais et lui confiais mon idée. « Aïe, disait-il, je vous vois venir. Ça va encore nous coûter cher. » Alors, je lui faisais un œil en coulisse et je lui disais : « C'est un coup de cent mille. » « Vous les aurez, me répondait-il dans une grimace, mais ne vous y habituez pas. » On pouvait faire quelque chose avant la guerre avec cent mille francs.

C'est ainsi que Rousseau tolérait et secondait mes folies. J'ajoute que j'ai toujours cédé avec plaisir à ses objurgations. Que la vie était belle avec lui et que le travail était bon !

J'étais avec lui dans mon bureau quand je vis arriver un matin M. Coty, petit, gentil, sanglé dans un complet gris clair, avec un petit chapeau de paille sur la tête. Je ne le connaissais pas. Une chanson de mon jeune âge me revint aux lèvres :

> *Il était un p'tit homme*
> *Tout habillé de gris,*
> *Carabi...*

Il s'assit avec assurance dans un fauteuil et me fit la déclaration suivante :

— Je viens vous acheter votre maison de parfumerie

— Mais, lui dis-je, elle n'est pas à vendre.

— Si vous continuez ainsi, reprit-il, vous mettrez quinze ans à atteindre une certaine importance. Si vous venez avec moi, vous profiterez de mon administration et dans deux ans, vous vaudrez autant que moi.

— Je comprends bien, mais dans deux ans, ma maison sera à vous, tandis que dans le cas contraire, dans quinze ans, elle sera encore ma propriété.

— Vous n'entendez rien aux affaires, monsieur, répondit-il en se levant brusquement et, enfonçant son canotier sur sa petite tête, il sortit furibond.

En silence, nous le regardâmes s'éloigner. M. Coty avait les dimensions de Bonaparte.

X

ARTS DÉCORATIFS

J'ai fait de nombreux voyages en Allemagne. J'y étais attiré, d'abord par des amis, les Freudenberg chez qui j'eus l'occasion de faire plusieurs fois des démonstrations accompagnées de conférences. Les Freudenberg étaient quatre ou cinq frères, qui s'étaient partagé la direction de la maison Hermann Gerson, de Berlin. C'est eux qui m'attirèrent en Allemagne les premiers, et j'eus la surprise de les trouver très « parisiens ». L'un d'eux était abonné au *Figaro* et s'obstinait à lire entièrement ce journal tous les jours, autant pour ne pas oublier son français que pour être au courant de ce qui se passait chez nous. Il m'étonnait en m'apprenant que le rôle de Mlle Reichenberg à la Comédie-Française allait être repris par Mlle X., il était beaucoup plus au courant que moi de tous les potins et de toutes les actualités théâtrales. Au demeurant, c'était un homme très fin et très cultivé. En déjeunant avec lui chez Borchardt, où nous dégustions les poussins de Hambourg, réputés, je lui posais des questions gênantes sur l'attitude politique de l'Allemagne et ses effectifs militaires. Je lui demandais s'il ne redoutait pas une nouvelle collision entre la France et l'Allemagne. Il me répondait à l'aide des clichés habituels : les découvertes de l'artillerie

moderne avaient rendu une rencontre improbable, on
ne pouvait pas songer à une chose aussi monstrueuse ;
et d'ailleurs l'Allemagne était animée d'intentions paci-
fiques : le Kaiser ne voulait pas la guerre ; moyennant
certaines concessions au Maroc, on pourrait l'apaiser
pour longtemps (c'était avant Agadir). Et le soir même,
j'étais invité à l'Opéra, où on entendait Caruso. Dans
l'avant-scène de gauche, se tenait l'empereur avec l'impératrice, et je l'observais avec une curiosité infinie, mais
ce qui retenait surtout mon attention c'était l'avant-scène
d'en face, où étaient groupés tous les généraux en grande
tenue. On me montrait von Kluck, qui avait de petites
lunettes d'or, derrière lesquelles luisait un regard madré.
Je l'imaginais livrant à un des nôtres quelque terrible
partie d'échecs. Il avait une face de lézard, avec un cou
plein de cordes et cela donnait au rictus de sa bouche
une expression nerveuse et cruelle. On me désignait
encore von der Goltz, Hindenburg, von Seekt et d'autres.

— Mais, me disait mon voisin, c'est sur von Kluck
que nous fondons le plus d'espoirs en cas de besoin.

Et comme je lui faisais remarquer qu'il était en
contradiction avec ses pronostics du matin :

— Nous pourrions avoir la guerre, me dit-il, mais
pas avec la France.

Quatre ans plus tard, il avait tort.

C'est par ce Freudenberg que je fus présenté au
prince Eitel, un des trois fils du Kaiser, celui qui était
versé dans les beaux-arts, et je fus surpris de le trouver
si informé de toutes nos recherches, littéraires et artistiques. Notre peinture aussi lui était familière. Il savait
tous les noms des célébrités et des hommes à la mode.
Il s'intéressait à mes modèles et savait les noms des
grands couturiers d'alors avec leurs spécialités. En un
mot, il était à la page et je trouvais cela admirable.

Est-ce que nos ministres des Beaux-Arts, eux, savaient
quelque chose de Max Reinhardt et de ses créations
théâtrales, des représentations de *Jeanne d'Arc* qu'il
donnait à Londres, et où il étudiait les amples mou-

vements de foules qui devaient passionner M. Gémier
dix ans plus tard ? Etaient-ils au courant des expositions de la Galerie Cassirer ? Visitaient-ils les exhibitions de Cologne et de Munich ? Etaient-ils seulement
informés ?

J'assistai, à Vienne et à Berlin, à toutes les expositions d'art décoratif. Je fis la connaissance alors des
chefs d'école, tels que Hoffmann, créateur et directeur
des *Wiener Verkstatte*, Karl Witzmann, M. Muthesius,
Wimmer, Bruno Paul et Klimt. Je veux rendre en passant un hommage de reconnaissance à Mme Zucker-
kandle, qui a dirigé mes pas dans ces milieux d'artistes
d'avant-garde.

Je rencontrai à Berlin toute une escouade d'architectes qui cherchaient du *nouveau* et qui le trouvaient
quelquefois. Sans doute, ils s'inspiraient du passé, et
puisaient leurs idées aux sources classiques. Mais qui
songerait à le leur reprocher ? Je passais des journées
entières à visiter des intérieurs modernes, construits et
aménagés avec un tel apport d'idées neuves, que je
n'avais jamais rien vu de semblable chez nous. Les
villas des environs de Berlin, dressées dans les forêts
de pins, aux bords des lacs, et entourées de jardins pleins
d'imprévu et de surprise, me semblaient délicieuses. Je
rêvais de créer en France une mode nouvelle dans la
décoration et l'ameublement.

Je n'étais pas aveuglément admirateur de tout ce
que je voyais. Je réprouvais même sérieusement certaines tendances romantiques, qui ont toujours alourdi
et chargé les créations de l'Allemagne. Je me rappelle
notamment la salle où je devais donner ma première
conférence, chez Hermann Gerson. J'éclatai de rire en
la voyant, au risque de poignarder au cœur l'artiste ou
plutôt le professeur qui en avait conçu l'ensemble. Son
nom m'échappe aujourd'hui, mais je le reverrai toujours,
sorte de docteur Faust pincé, émacié, livide, aux lèvres
minces, aux lunettes d'or, avec une perruque de cheveux
blancs rejetés en arrière comme une crinière de vieux

lion malade. Je n'avais jamais vu d'artiste de cet aspect.
Sa décoration était bien telle que lui. Il avait couvert
les murs de la salle, où je devais recevoir mon public,
de draperies bleu vif du haut en bas, et de cette chapelle
s'élançaient par place des gerbes de lys, comme pour
l'enterrement d'Ophélie. C'était si pompeux, si solennel,
si prétentieux que j'en eus froid dans le dos et qu'il me
fallut beaucoup de courage et d'adresse pour dégeler
mon auditoire.

Mais pour une erreur de ce genre, je voyais beaucoup
de choses louables. C'est à Berlin que j'entendis interpréter Shakespeare de la façon la plus vivante. *Le Songe
d'une nuit d'été*, monté par Reinhard, *la Mégère appri-
voisée* et *Beaucoup de bruit pour rien*, ainsi qu'un *Shylock* auquel Gémier emprunta la plupart de ses trouvailles si vantées par la presse française, me consolèrent
aisément de *Penthésilée, reine des amazones*.

J'allai par curiosité à Bruxelles tout exprès pour
connaître la demeure de M. Stocklet, construite par
l'architecte Hoffmann, de Vienne, qui avait dessiné non
seulement la maison et ses dépendances, mais aussi le
jardin, les tapis, les meubles, les lustres, les assiettes,
l'argenterie, les robes de Madame, les cannes et les
cravates de Monsieur. Cette substitution du goût de
l'architecte à la personnalité des propriétaires m'a toujours semblé une sorte d'esclavage et de sujétion qui me
fait sourire, et je m'en excuse auprès de M. et Mme Stocklet qui furent pour moi des hôtes inoubliables.

De retour à Paris, après plusieurs voyages d'études,
je créai l'Ecole d'art décoratif « Martine », à laquelle
je donnai le nom d'une de mes filles. J'avais vu les
« Herr Professor » de Berlin et de Vienne tarabuster
les méninges de leurs élèves, pour les faire entrer dans
un moule nouveau comme dans un corset de fer. A
Vienne, on décomposait des fleurs et des bouquets en
losanges et on en faisait des figures géométriques, dont
la répétition monotone finissait pas créer un style, au
fond pas très différent de celui de Biedermayer. Je

trouvais ce travail et cette discipline des intelligences absolument criminels. Je voulais prendre le contrepied de cela et voici comment je procédai :

Je recrutai dans les milieux ouvriers de la périphérie des fillettes d'environ douze ans, affranchies de leurs études. Je leur consacrai plusieurs pièces de ma maison et je les fis travailler d'après nature, sans aucun professeur. Naturellement, leurs parents ne tardèrent pas à trouver qu'elles perdaient leur temps et je dus leur promettre des appointements et des récompenses. Je primais les meilleurs dessins. Dès que les premières semaines furent écoulées, j'obtins des résultats merveilleux. Ces enfants, livrées à elles-mêmes, oubliaient en peu de temps les préceptes faux et empiriques qu'elles avaient reçus, à l'école, pour retrouver toute la spontanéité et toute la fraîcheur de leur nature. Quand c'était possible, je les faisais conduire à la campagne ou au Jardin des Plantes, ou dans les serres de la ville de Paris, où elles faisaient chacune un tableau à leur idée, d'après le motif qui leur plaisait le mieux et elles me rapportaient des choses charmantes. C'étaient des champs de blés mûrs, où fusaient des marguerites, des coquelicots, des bleuets ; c'étaient des corbeilles de bégonias, des massifs d'hortensias, des forêts vierges où s'élançaient des tigres bondissants, le tout traité avec une sauvagerie et un naturel que je voudrais pouvoir expliquer par des mots. J'ai conservé la collection de leurs travaux, et j'ai des pages d'une inspiration touchante qui quelquefois s'apparentent aux plus jolis tableaux du douanier Rousseau. C'est avec le concours de ces jeunes artistes que j'ai formé la collection de tissus et de tapis qui ont influencé la mode et tout le décor moderne dans les beaux jours de la maison « Martine » qui fut créée quelques mois après.

Mon rôle consistait à stimuler leur activité et leur goût sans jamais les influencer ni les critiquer, de manière à laisser pure et intacte la source de leur inspiration. A vrai dire, elles avaient beaucoup plus d'ascendant sur moi que moi sur elles, et mon seul talent consistait à choisir parmi toutes leurs œuvres celles qui étaient le plus aptes à l'édition. Alors, il fallait avoir le courage industriel qui consistait à faire exécuter, à grands frais quelquefois, ces élucubrations hardies, dont le public pouvait méconnaître la valeur. J'y ai dépensé beaucoup d'argent que je ne regrette pas, tandis que mes successeurs pourraient regretter de ne l'avoir pas fait.

Pour empêcher que leurs dessins soient traduits par des ouvriers plus ou moins compréhensifs et pour éviter qu'il y ait une déperdition de sensibilité dans l'interprétation de leurs projets, je leur fis apprendre le métier du tapis au point noué, de sorte qu'elles arrivaient à tisser de leurs mains, sans dessin préalable, de grandes carpettes où jaillissaient des fleurs merveilleuses, fraîches et vivantes, comme si elles avaient surgi de la terre elle-même. M. Fenaille, qui s'est acquis une grande notoriété dans l'art de la tapisserie et y a consacré de grandes études, voulait bien m'aider de ses conseils et de ses moyens.

Où en serait maintenant l'école « Martine » si elle avait pu continuer ? A la faveur de cet enseignement libre s'étaient développées des personnalités tout à fait curieuses. Mes élèves ne faisaient pas toutes la même feuille en faisant porter les accents et les caractéristiques de leurs dessins sur les même détails. Chacune donnait une œuvre marquée de son tempérament. Elles travaillaient avec confiance et sans appréhension. C'est pourquoi leurs œuvres paraissaient jaillir de source. Si on demandait à un artiste d'âge mûr de couvrir, par exemple, une grande surface murale par une décoration, celui-ci commencerait par établir en petites dimensions un projet dont il grandirait les détails progressivement pour arriver à couvrir la surface proposée. Rien de cela avec elles. Devant un mur nu, haut de quatre mètres sur quatre, elles appuyaient leur échelle d'abord, et traçaient leur projet dans ses proportions définitives.

Ainsi, les motifs prenaient immédiatement leur valeur et leur importance. On avait obtenu ce résultat parce qu'il n'y avait aucun professeur pour les contraindre à les analyser. Elles se sentaient libres et heureuses de créer. Faut-il que, par la mesquinerie des hommes d'argent, ait été détruite une œuvre aussi passionnante et que ces jeunes artistes pleines de promesses soient devenues des vendeuses dans la nouveauté ou des piqueuses de bottines ?

Beaucoup d'artistes s'étaient passionnés pour mon effort et visitaient fidèlement mon école. Je reçus René Piot, le vieux maître Séruzier, Jean Ajalbert, conservateur de la manufacture de tapisserie de Beauvais, et tant d'autres. Mais surtout, celui qui s'intéressa à l'école « Martine » fut Raoul Dufy. C'est depuis cette époque que j'entretins avec lui des rapports cordiaux. Nous avions les mêmes tendances en décoration. Son génie spontané et ardent avait éclaboussé de fleurs les panneaux verts des portes de ma salle à manger du pavillon du Butard. Nous rêvions de rideaux éclatants et de robes décorées dans le goût de Botticelli. Sans mesurer mon sacrifice, je donnai à Dufy qui, alors débutait dans la vie, les moyens de réaliser quelques-uns de ses rêves. En quelques semaines, nous montions un atelier d'impressions dans un petit local de l'avenue de Clichy que j'avais loué tout exprès. Nous découvrions un chimiste, nommé Zifferlin, ennuyeux comme un dimanche d'hiver, mais qui connaissait à fond la question des colorants, des encres lithographiques, des anilines, des réserves grasses et des mordants. Nous voilà tous deux, Dufy et moi, comme Bouvard et Pécuchet, à la tête d'un métier nouveau, dont nous allions tirer des joies et des exaltations nouvelles. Mais je n'ai pas encore décrit Dufy, qui cache son génie sous l'enveloppe d'un commis d'épicerie. Archange rose et blond, bouclé, un peu poupin, aux gestes menus, il faut le voir dans son atelier marchant à petits pas, en bras de chemise et sortant à toute minute de ses cartons des pages maîtresses et des chefs-d'œuvre dont le moindre vaut aujourd'hui des dizaines de mille francs. Dufy n'a jamais cessé d'être un simple artiste, dont le cœur et l'esprit sont entièrement consacrés à son œuvre.

On sait les découvertes qu'il a faites en art, et qu'il a substitué des expressions conventionnelles à la réalité. Il a des moyens artificiels pour représenter l'eau, la terre, les moissons, les nuages qui ont atteint aujourd'hui dans le monde autant de force que les éléments eux-mêmes qu'ils représentent. Il appartenait à un génie de substituer sa vision à celle du public et de la faire prévaloir contre les données acquises. Quand on voit dans la rue un réverbère d'une certaine forme, on sait qu'il signifie une station de métro ; de même, quand on voit certaines arabesques de Dufy on sait qu'elles signifient l'eau ou le feuillage, et il a aujourd'hui imposé cet alphabet, dont il est l'auteur, aux connaisseurs d'art de l'univers. Comment ne m'enorgueillirais-je pas de penser qu'un tel artiste a fait ses débuts à l'ombre des miens ?

Dufy a dessiné pour moi et sculpté dans le bois des blocs tirés de son Bestiaire. Il en a fait des étoffes somptueuses, dont j'ai tiré des robes qui, j'espère, n'ont jamais été détruites. Il doit y avoir quelque part des amateurs qui conservent ces reliques.

Après que nous eûmes dépensé beaucoup d'argent et beaucoup d'activité à créer notre premier matériel (notre première chaudière était en bois) et à réaliser nos premiers essais, nous vîmes poindre l'immense silhouette de M. Bianchini, l'un des propriétaires de la puissante firme Atuyer, Bianchini et Férier, qui vint un jour proposer à Dufy de lui procurer des moyens industriels plus dignes de lui. Dufy était assez gentilhomme pour ne pas accepter sans m'en faire part la proposition qui lui était faite, et j'étais assez grand seigneur pour ne pas l'empêcher de poursuivre sa carrière, malgré que je dusse souffrir de sa défection. Car faut-il ajouter qu'aucune indemnité ne m'était proposée par M. Bianchini ?

Je liquidai la petite usine de l'avenue de Clichy et
j'eus la consolation d'admirer depuis, dans les produc-
tions de la maison Bianchini, tout ce qui était dû à la
collaboration de mon ami. Il y eut des brocards et des
impressions de toute beauté, qui compteront un jour
dans l'histoire de l'art décoratif autant que les dessins
de Philippe de la Salle ou ceux d'Oberkampf.

Aujourd'hui, Dufy ne travaille plus pour M. Bianchini, il s'est remis à la peinture, pour que nous n'ayons
rien à regretter. L'art décoratif perd un bon serviteur
dans la personne de Dufy, qui ne pouvait accepter
d'être contraint. Un homme de son génie ne peut pas
se plier aux exigences du commerce, qui ne veut retenir
que ce qui peut être bénéficiaire. Ainsi, les jardiniers
ne conservent sur un arbre que les branches porteuses
de fruits. Mais un artiste a besoin de pousser toutes ses
branches, et même celles qui ne produiront rien sont
valables pour lui. Qui oserait dire qu'elles ne donneront
pas aussi des résultats dans un avenir plus lointain ?
Pour l'artiste, l'inutile est plus précieux que le nécessaire, et on le fait souffrir quand on veut lui faire
admettre l'inanité de ses audaces, ou quand on choisit
dans son œuvre ce qui est monnayable seulement. Un
artiste a des antennes qui vibrent longtemps à l'avance
et il pressent les tendances du goût bien avant le vul-
gaire. Le public ne peut jamais déclarer qu'il se trompe ;
il ne peut faire qu'un acte d'humilité devant les choses
qu'il ne pénètre pas.

J'ai exposé, en 1924, quatorze toiles de Dufy dans
la péniche *Orgues*. C'étaient de grands rideaux qu'il
avait exécutés dans les manufactures de Bianchini à
Tournon, dans le but spécial de décorer mon bateau.
Elles représentaient les régates du Havre, les courses
de Longchamp, un paysage d'Ile-de-France, le baccarat
à Deauville, un bal à la préfecture maritime, etc. Qui
se les rappelle ? Personne ne les a remarquées. Le goût
public n'était pas mûr, et aujourd'hui, je pourrais les
vendre au poids de l'or, tant il est vrai qu'il y a pour

les œuvres d'art et pour les idées géniales une maturité qu'il faut savoir attendre.

D'ailleurs, cette exposition des arts décoratifs a été pour moi une grosse déception (je ne veux pas parler de l'argent que j'y ai laissé, c'est dans l'ordre des malheurs réparables), car elle ne pouvait rendre aucun service à l'art décoratif. Elle ouvrait ses portes au moment où les Parisiens qui constituent la clientèle intéressée partaient vers la campagne. On aurait peut-être pu les retenir si on avait créé des fêtes ou des galas ou des solennités artistiques dignes d'elle, mais on n'a rien fait dans ce sens. Les pauvres défilés qui ont été donnés sur la Seine ne réunissaient que quelques unités parmi lesquelles des bateaux mouches pavoisés de lampions. Cela ne pouvait attirer ni retenir personne. Tout au plus le soir voyait-on affluer entre neuf heures et onze heures une horde de concierges et d'employés qui aiment la lumière, la foule et le bruit. J'avais eu tort de compter sur une clientèle de luxe qui fuit ces plaisirs populaires ; elle n'est pas venue. C'est une expérience dont je me souviendrai.

Le commissaire général, M. Fernand David, M. Paul Léon, directeur des Beaux-Arts, avaient bien voulu me dire que j'étais inconsciemment l'instigateur ou le prétexte de cette manifestation car, si je n'avais pas créé en 1912 la maison Martine, qui avait déchaîné tant d'imitateurs et un mouvement florissant d'idées décoratives, cette exposition n'aurait pu avoir lieu. Si modeste que je sois, je crois qu'ils avaient raison. Mais puisqu'elle eut lieu, il fallait qu'elle fût un succès. Il faut voir la raison de son échec dans le fait qu'elle était dirigée et organisée par des vieillards, tandis qu'elle était par définition l'œuvre de la jeunesse. On y recevait à toute occasion un coup d'éteignoir. C'est, du reste, d'une façon générale, ce qui cause le malaise français. Cet étouffement de la jeunesse dans un peuple qui devrait toujours rester le plus jeune du monde est un fait sur lequel il faudra qu'on s'explique un jour prochain. Le pays est tellement livré à la gérontocratie que les jeunes n'osent même plus, et ne pensent même plus à réclamer la place qui leur est due dans la politique, après la guerre qu'ils ont faite. Ils auraient pourtant quelque droit de construire eux-mêmes les fondations de ce qui leur reste d'avenir.

J'avais à ce sujet, chez un ami, une conversation avec un député qui est aujourd'hui ministre de la République et qui affichait ce soir-là un grand mépris de l'opinion publique. Je risquai cette simple phrase : « Si le public vous entendait ? »

Alors se levant comme un tribun de la révolution, ce Mirabeau de poche s'écria : « Le public ? des esclaves ! »

Je ne le nomme pas par charité, mais il se reconnaîtra.

XI

AU TRAVAIL

Les voyages d'affaires que j'entreprenais dans toutes
les directions ne m'empêchaient pas de faire aussi des
voyages d'études où je meublais mon esprit de souvenirs
et de trésors précieux. Le principal travail d'un créateur,
pendant les heures où il ne crée pas, est précisément
d'orner son cerveau comme on orne sa maison et
d'accumuler des richesses d'art empruntées aux musées
ou à toutes les beautés de la nature. Plus il a acquis
de raffinement, plus son travail en reflétera, car il se
produit une sorte d'assimilation et de digestion qui fait
que ses mains répandent comme un fluide la beauté
qui est en lui. Si ce n'est pas exact au point de vue
scientifique, j'ai toujours agi comme si je le croyais,
et je le crois.

Naturellement, ces déplacements sans nombre mélangés aux soucis des affaires et à la recherche constante
des nouveautés impliquaient une certaine fatigue ;
j'avais une santé de fer qui me permettait de me coucher
à n'importe quelle heure de la nuit et d'être à neuf
heures le matin à mon travail sans perdre un pouce de
ma bonne humeur. Je faisais chaque matin une heure
d'escrime ou de gymnastique avec des amis qui me
retrouvaient dans mon jardin, Boussingault, Segonzac

et Ditte, aujourd'hui notaire. Nous faisions deux ou trois
assauts à l'épée, une douche froide et un verre de porto
couronnaient cet exercice, et à neuf heures moins un
quart, j'étais à mon bureau, l'esprit clair et dispos. Je
préparais le programme de la journée avec beaucoup
d'ordre et de méthode, mais j'acceptais toujours avec
plaisir les circonstances fortuites qui m'obligeaient à
en changer.

Un jour que je m'étais enfermé dans mon bureau
pour y chercher des formes nouvelles avec une première
et des mannequins, un coup de téléphone m'appela chez
M. Henri Bataille ; je devais m'y rendre de suite avec
Ronsin pour entendre lire sa prochaine pièce, dont
l'auteur voulait nous confier la mise en scène. Ronsin
me retrouve à la maison, nous bondissons dans l'Hispano
et en route pour Villers-Cotterets. Henri Bataille habitait un ancien château qu'il avait fait restaurer à Viviè-
res. Le portrait de l'auteur du *Phalène* a sans doute été
tracé bien des fois ; je dirai donc seulement qu'il m'a
toujours fait l'effet d'un Pierrot basané, d'une tristesse
foncière et entouré d'une atmosphère d'ennui très distinguée mais très artificielle. C'est de lui que Cocteau
m'avait dit un jour à voix basse pendant une répétition :
« Il prend son entérite pour un vice. » Ce jour-là, nous
le trouvâmes dans une pose très affectée, étendu plus
qu'assis dans un immense fauteuil de cuir où il était
calé par des oreillers. Il croyait qu'il avait un bras cassé,
dont il souffrait, disait-il, beaucoup et, effectivement,
il portait le bras gauche en écharpe. Il profiterait donc
de cette immobilité forcée pour nous lire des morceaux
de sa dernière pièce qui était *l'Homme à la rose*. Pendant qu'il nous parlait dans le grand salon vert du
rez-de-chaussée du château, on vit entrer par la porte
du fond Yvonne de Bray, accompagnée de trois chiens
lévriers et portant une botte de roses dans les bras,
qu'elle avait fort jolis. Cette botte de roses, ces chiens
lévriers, cette robe de mousseline, ce grand chapeau
bergère de manille, ce coup de soleil dans le décor du

Paul Poiret.

La robe Joséphine (1910).

Mauve et Tulle Lilas 1910 —

Les mannequins de Poiret dans le parc de l'avenue d'Antin (1913).

Présentation des modèles
dans les salons du Rond-Point des Champs-Elysées.

Joséphine Baker vers 1925.

Joan Crawford (1932).

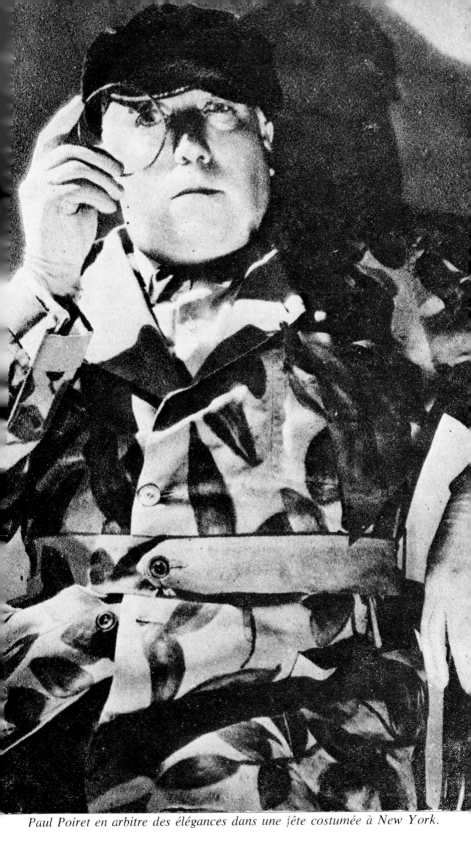

Paul Poiret en arbitre des élégances dans une fête costumée à New York.

La péniche Amours, Délices et Orgues au pont Alexandre III (Mai 1925).

fond, où avais-je vu tout cela ? C'était certainement
une entrée théâtrale et tout cela était artificiel. J'étais
dupe d'un rêve, ou plutôt non ! C'était la couverure
même du journal *Vogue*. Bataille, enchanté de cette
apparition, épia dans les yeux de Ronsin et dans les
miens l'effet que cela nous produisait. Il dut être déçu.
Cette belle artiste s'était approchée de lui pour le baiser
au front ; il retira de son écharpe son bras souffrant
et le remuant avec précautions, attira à lui celle qui
était l'objet de sa passion, puis négligemment et pensant
à autre chose, il se trompa de bras et remit l'autre dans
son écharpe. Ronsin et moi échangeâmes un regard
chargé de gaieté contenue. Il y eut une diversion, on
passait dans la salle à manger. Déjeuner cordial... et
frugal. « En moins de deux », nous prenions le café sur
la terrasse, Mlle de Bray nous présentait à son lama,
car elle avait un lama, étrange girafe noire, à corps
de cheval, qui ne pouvait pas supporter l'aspect de
Mme de Bray mère et qui projetait sur elle des crachats
étoilés. Peu après, nous nous remettions au travail dans
le bureau de Bataille qui nous fit passer de vrais frissons
en nous lisant des extraits de son œuvre et qui nous
communiqua sa flamme de créateur, de sorte que, sur
le chemin du retour, nous ne songions qu'à réaliser
ses intentions et à donner une forme concrète à son
rêve. Il y avait dans sa pièce des beautés singulières et
des occasions de faire valoir une mise en scène unique,
comme par exemple la scène où Don Juan assiste à son
propre enterrement dans la cathédrale, où nous avions
interprété la grande grille de celle de Séville. Je revois
encore le gris des murailles avec les noirs des deuils et
les rouges liturgiques. Et les ravissantes artistes qui
étaient Mary Marquet et Mona Delza, celle-ci dans une
robe de tissu d'argent incrusté de dentelles d'argent,
avec dans ses cheveux sombres un peigne vermillon
voilé d'une mantille d'argent. On ne savait pas dire où
commençait la fiction, où s'arrêtait la reconstitution,
car j'avais marié l'histoire et ma fantaisie et après m'être

imprégné de l'esprit des modes au temps de Don Juan,
je les avais interprétées avec la plus grande liberté.

Que de nuits passées au théâtre pour obtenir une
mise au point irréprochable ! Le petit jour nous trouvait
encore au travail. Léon Volterra savait improviser des
soupers qui réveillaient l'ardeur de ses collaborateurs.
Je rentrais à cinq heures du matin, exténué, je dormais
trois heures et j'étais à huit heures à l'escrime, sous le
contrôle de ce brave maître Cherbuquet qui, lui, ne
pouvait pas comprendre qu'on fût fatigué. A neuf heures, j'étais en tenue à mon travail et je secouais tout
mon monde jusqu'à midi, puis, pour ne pas dormir
après mon déjeuner, car il faut rester svelte, je partais
à la campagne en voiture, j'entendais par hasard à
Bonnières, dans une guinguette, un accordéoniste dont
le talent me tirait les larmes, je le fourrais dans ma
voiture et le ramenais à Paris où je recevais à dîner
Rip, l'auteur si parisien des seules revues amusantes.
L'accordéon faisait danser mes invités toute la soirée
et à deux heures du matin, je faisais ouvrir la galerie
voisine pour montrer à mes amis une exposition de
Greco ou de Manet. Le lendemain matin j'étais à la
Sorbonne où j'étudiais avec le professeur Charles Henri
la mise au point d'un procédé de teinture phosphores-
cente qui me permettrait quelques semaines plus tard
de donner au music-hall un effet nouveau. Nous cher-
chions ensemble à réaliser des couleurs lumineuses.
Charles Henri n'était pas seulement un savant chimiste,
c'était un gourmet distingué et il se connaissait en vins ;
il prodiguait même ses conseils à certain grand propriétaire de Vouvray chez qui il passait ses vacances.
Nous déjeunions ensemble à la fin de nos matinées de
travail ; il avait des notions personnelles sur la physiologie du goût. Puis, je rentrais chez moi où la comtesse
Greffulhe essayait une robe d'or qu'elle devait porter
à la Madeleine le jour du mariage de sa fille.

Dans le salon où elle se tenait debout, moulée par
cette merveilleuse gaine de métal, bordée de zibeline,

il régnait un grand recueillement comme dans la chambre d'une fée. La vendeuse penchait la tête avec ravissement, la première passait une main d'artiste sur les cassures de l'étoffe, les arpètes au garde-à-vous tendaient les sébilles d'épingles et par l'œil de bœuf de la porte, on pouvait voir les visages indiscrets dont on entendait les exclamations flatteuses. « Quelle merveille ! » ou bien : « C'est une splendeur ! » La comtesse, hautaine et acariâtre parmi ce concert de louanges, levait la tête et pointait du nez de tous côtés. Quand j'entrai je lui fis une révérence et lui dis qu'elle avait lieu d'être satisfaite, car sa robe était très belle. Alors, levant la tête, pour que sa méchanceté tombât de plus haut, elle me dit :

« Je croyais que vous ne saviez habiller que des midinettes et des mademoiselles Troussepette, mais je ne savais pas que vous étiez capable de faire une robe pour une grande dame ! »

Je lui répondis « que sa robe avait été précisément faite par ces midinettes et que les grandes dames de Belgique pouvaient toujours s'en remettre au goût des midinettes de Paris, qu'elles n'avaient qu'à y gagner ». Et je quittai la place absolument scandalisé de trouver chez une femme d'un certain âge et d'une certaine opulence un pareil manque de tact joint à tant de morgue et de perfidie. Ces paroles étaient répétées parmi mon personnel. En Russie elle eût mérité le knout, en Italie l'huile de ricin, en France elle fit sourire. Quand elle revint chez moi pour commander de nouvelles robes, sa vendeuse vengeresse lui proposa de telles conditions de prix qu'elle n'était pas assez riche pour les assumer. J'oubliais ces basses misères professionnelles en faisant avec mon ami Méran quelque ascension en ballon.

Je n'ai raconté tout ce qui précède et l'emploi de mon temps pendant plusieurs jours que pour faire comprendre au lecteur la charmante diversité de mes occupations, qui n'avaient pourtant qu'un seul but, rendre les femmes plus séduisantes. La vie d'un couturier se déroule ainsi comme un film cinématographique divers et ininterrompu. Ajoutez à ce qui précède la visite des chantiers que m'imposait la maison Martine où on construisait en même temps un hôtel particulier pour Mlle Spinelly (je crois bien qu'il ne fut jamais payé), et une salle à manger pour mon ancien maître Doucet dans son appartement du Bois de Boulogne. Car M. Jacques Doucet, oubliant ses légitimes déceptions d'autrefois, m'avait trouvé digne d'exécuter un des décors de sa vie privée. Je m'y attachais avec passion, appelant à mon aide le grand artiste Fauconnet qui dessina le détail des panneaux. Je n'ai encore rien dit de Fauconnet qui fut dans la maison Martine le plus savant et le plus dévoué de mes collaborateurs. C'était un artiste d'un charme inouï, d'un esprit aussi aigu que profond, une sorte de philosophe du temps passé, plein d'une ironie et d'un scepticisme rares. Il dessinait avec un trait aussi fin et aussi délié que sa pensée, et ses moyens d'expression avaient la même acuité que ses moyens d'observation. C'était un érudit en matière d'art et tout ce qu'il pouvait faire dans le dessin comme dans la couleur se ressentait de sa culture classique. C'est lui qui a dessiné le programme de la fête que j'ai donnée au Butard, en s'inspirant des vases corinthiens où courent des lierres noirs sur la couleur tendre de l'argile. Il dessina tous les graffiti qui ornèrent le hall de Mlle Spinelly. Il a été arraché à ses amis par une mort prématurée et sa carrière n'a pas eu le développement qu'elle méritait, mais il reste de lui une belle toile au Luxembourg et des pages qui suffiront à le classer. J'ai vu Fauconnet percer pendant des jours et des jours de menus coquillages jaune clair qu'il ramassait sur la plage de l'île Tudy, en Bretagne, où nous passions nos vacances. Il en faisait des colliers charmants qu'il portait et qu'il faisait porter par ses amis. Il y avait avec nous Naudin, sa femme et ses fils.

Nous étions venus à l'île Tudy dans une maison que

j'avais louée par correspondance. En arrivant j'étais très déçu de la trouver nue et mal meublée ; la salle à manger était toute blanche, peinte à la chaux comme la cellule d'un trappiste. Cela me plairait peut-être aujourd'hui, cela ne me plaisait pas alors. L'endroit était solitaire et désolé, le talent de Naudin y fit venir une foule de personnages, les murs de la salle à manger se couvrirent d'inscriptions. Sur une banne de toile rouge et blanche on lisait « Café du commerce » et des consommateurs de toutes conditions sociales, matelots et riches armateurs, étaient représentés, attablés devant des apéritifs.

C'était une compagnie agréable, nous passions de bons moments avec ces messieurs et nous imaginions leurs réflexions et leurs répliques. Le buffet et les chaises faisaient triste figure dans la richesse de ce décor, nous les peignîmes en vert et l'ensemble devint d'une gaieté folle, mais ce qui fut moins gai ce fut le propriétaire le jour de notre départ : il se fâcha tout rouge. Ce Breton borné qui aurait pu tirer un grand parti d'une salle à manger décorée par Naudin ne comprenait pas son bonheur. Il me cita devant le juge de paix et je fus condamné à remettre les choses dans leur état primitif.

Nouveau voyage à Londres pour mettre la dernière main aux costumes que j'avais faits pour *Afgar*, une opérette à grand spectacle qu'on joua sans discontinuer pendant trois ans sous la direction de Charles Cochrane, au théâtre du « Pavillon ». Quel Anglais n'a pas vu *Afgar* ni entendu la belle Delysia, qui devint une étoile de Londres sous l'égide de cet adroit fabricant de vedettes ?

Delysia, qui avait été une chanteuse à Paris, devint une cantatrice à Londres, où elle fut fêtée, adulée et portée en triomphe. Elle y reçut le maréchal Foch et j'ai conservé le souvenir d'une journée passée chez elle en compagnie des plus grandes gloires du music-hall

d'alors, Little Tich, Georges Robey et le désopilant
Morton.

Je visitai le musée de Kensington, musée consacré
aux trésors de l'Inde. On y trouvait tous les documents
les plus précieux relatifs aux mœurs et à l'art. Il y avait
notamment une collection de turbans qui m'enchanta.
Tous les procédés en usage pour nouer ces coiffures et
les assujettir sur la tête étaient représentés. Je ne me
lassais pas d'admirer la diversité de ces formes si logiques
et si élégantes. Il y avait le petit turban serré des Cipayes
qui se termine par un pan, négligemment jeté sur
l'épaule, et il y avait l'énorme turban des radjahs, monté
comme une pelote d'honneur pour recevoir toutes les
aigrettes, et tous les bijoux les plus coûteux. J'obtins
immédiatement du conservateur l'autorisation de travailler d'après ces exemples magnifiques. Je fus même
autorisé à sortir les turbans des vitrines et à les caresser.
Je télégraphiai aussitôt à Paris à une de mes premières.
Je lui communiquai ma flamme et elle passa huit jours
dans le musée à imiter et à copier, à répéter les modèles
qu'elle avait sous les yeux ; peu de semaines après, nous
mettions les turbans à la mode à Paris.

C'était le temps des premiers Ballets russes, M. de
Diaghilev avait lancé sur le monde sa pléiade d'étoiles,
qui devait illuminer plusieurs secteurs de l'art pendant
plusieurs années. Les Bakst, les Nijinski, les Karsavina
brillaient de tout leur éclat. Comme beaucoup d'artistes
français, je fus très frappé par les Ballets russes et je
ne serais pas surpris qu'ils aient eu sur moi une certaine
influence. Il faut pourtant que l'on sache bien que
j'existais déjà, et que ma réputation était faite bien
avant celle de M. Bakst. Des journalistes étrangers seuls
peuvent s'y tromper et commettre l'erreur, volontaire ou
non, de faire descendre mon œuvre de celle de Bakst.
Rien n'est plus commun que cette méprise parmi les
profanes et les gens mal informés ; je l'ai toujours
combattue, car malgré toute l'admiration que j'avais
pour Bakst, j'ai toujours refusé de travailler d'après

ses maquettes. Je sais trop ce qui arrive en pareil cas. Quand le costume a du succès, le dessinateur s'honore de l'avoir créé, et s'il n'en a pas, il prétend avoir été trahi par l'interprétation du couturier. J'ai voulu éviter ce malentendu dans son intérêt comme dans le mien, persuadé que c'est tout autre chose de faire une aquarelle, où on a le droit de truquer les proportions et les attitudes, et où on peut donner une expression conventionnelle, ou de faire un costume d'arc-en-ciel, par exemple, pour une femme qui se présente avec des formes déterminées, et souvent incompatibles avec le caractère qu'elle veut se donner.

J'ai mécontenté plus d'une de mes clientes, qui arrivait chez moi avec une jolie aquarelle achetée très cher à Bakst, parce que je refusais d'interpréter les intentions d'un autre. On prenait cette attitude pour de la jalousie de ma part. Il n'en était rien. Je n'acceptais d'ailleurs pas sans contrôle toutes les idées de Bakst, qui avait trop souvent recours à l'outrance et à l'exagération pour se donner un style. Il y avait peu à tirer de ses créations théâtrales. Elles étaient beaucoup trop excessives pour inspirer un couturier qui travaille dans le réalisme de la vie et s'il a exercé une influence sur moi elle ne peut être que très lointaine.

D'ailleurs, j'ai, d'une façon générale, la conviction que j'ai emprunté fort peu d'éléments aux artistes de mon époque. La tendance dominante, celle du cubisme, qui a exercé pendant trente ans un empire dictatorial accablant, ne me permettait pas d'appliquer ses principes dans mon domaine. Je n'ai pas été étranger aux recherches de Picasso, mais je les ai toujours considérées comme des exercices d'atelier et des spéculations de l'esprit, qui ne devaient pas sortir d'un cercle d'artistes et que le public aurait dû ignorer. Le danger a été qu'il a pris ces élucubrations analytiques pour des œuvres complètes, tandis qu'elles n'étaient que des brouillons, des décompositions et des schémas explicatifs. L'évolution de l'art de Picasso semble bien me donner raison

aujourd'hui, puisque après avoir passé sa jeunesse à
des travaux d'analyse, il semble être revenu à une syn-
thèse plus accessible. Je ne peux pas considérer sans
une certaine antipathie le rôle joué par cet artiste, que
j'aime beaucoup personnellement, mais qui gardera dans
l'histoire la triste responsabilité d'avoir égaré tant de
brebis, et d'avoir soûlé tant de bonnes volontés. Combien nous a-t-il fait perdre d'artistes sincèrement épris
d'un idéal plus humain, au prix de deux ou trois talents
qu'il nous a peut-être révélés, dans le plan bien mono-
corde du cubisme !

XII

MES FÊTES

Je voulais trouver des prétextes pour retenir mes amis près de moi et créer un centre qui fût la capitale du goût et de l'esprit parisiens. J'y étais parvenu : quand je trouvais une occasion de réunion, personne ne manquait à l'appel, aucun engagement antérieur ne pouvait prévaloir contre mes invitations.

Je ne saurais raconter aujourd'hui toutes les fêtes que je donnai, mais je veux parler de la fête des Rois, qui fera comprendre à ceux d'après-guerre comment on s'amusait avant.

J'avais lancé des invitations où le roi Louis XIV en personne (le rôle du roi était confié à Decroix) invitait mes amis à assister à son petit lever ; et il attribuait à chacun son rôle et sa personnalité. C'est ainsi qu'il disait à Bagnolet : « Vous êtes Biron, coiffeur du Roy. » A Segonzac : « Vous êtes Champagne, premier valet de Sa Majesté. » A Marcel Collet : « Vous êtes Mlle de La Vallière. » A Bastien de Beaupré : « Vous êtes M. de Turenne », et Bastien de Beaupré, qui le croyait, à partir du moment où il recevait l'invitation, épousait à tel point son rôle et soignait tellement son personnage qu'il arrivait à la fête portant dans sa cuirasse le boulet qui l'avait tué.

Tombant au milieu de la fête et s'étant gravement
fendu le crâne sur le chambranle en marbre d'une
porte en dansant le menuet avec Mme de Maintenon,
il ne voulut pas remarquer qu'il perdait son sang par
sa blessure, et répondit à des amis qui l'engageaient
à se soigner :

— J'en ai vu bien d'autres...

Ce soir-là, tous mes invités en arrivant étaient
conduits au chevet du roi ; les rideaux de tapisserie
du baldaquin étaient fermés, et la chambre royale
était dans une pénombre apaisante. Petit à petit les
courtisans se massaient respectueusement à vingt pas
du lit où reposait Sa Majesté, qu'on entendait ronfler
à travers les Gobelins. Les médecins et les apothicaires
entraient alors et s'informaient auprès du premier valet
de chambre de la façon dont Sa Majesté avait dormi,
et Dunoyer de Segonzac leur donnait les renseignements les plus intimes et les plus rassurants. On apportait alors la chaise percée, et le Roy dans un grand
bâillement réclamait le baiser de Mlle de La Vallière,
qui s'avançait en boitillant sous l'œil mécontent des
Maintenon et des Montespan. Puis, le Roy se levait
et recevait aussitôt son coiffeur qui, en lui ajustant
sa perruque, lui donnait un tuyau pour les courses :
« Jouez Roy-Soleil, gagnant. »

Le tailleur du Roy, dont les canons étaient faits
de centimètres, lui passait sa tunique du dimanche
et le Roy descendait à la salle à manger, où l'attendait un déjeuner grandiose et un spectacle versail-
lais.

Il faut avoir vu Louis XIV descendre les marches
de l'escalier d'honneur, suivi à distance par les courtisans et les marquis, mais précédé par les valets
qui marchaient à reculons pour éclairer le Roy de
leurs candélabres, pour avoir une idée de la conscience et du souci que Decroix avait apporté à la
reconstitution du personnage, malgré des moyens pré-
caires et presque improvisés. Sa canne, notamment,

était faite d'une queue de billard, artistement camou-
flée, et jusqu'à cinq heures du matin, nous ne pûmes
pas aborder notre camarade sans le traiter de Majesté
et lui manifester des égards majeurs. Il voulait être
le Roy. Il l'était.

C'est au retour d'un bal des Quat'z-arts, au mois
de mai 1911, je crois, que je décidai de donner dans
mes salons et mes jardins de Paris une fête inoubliable que j'appelai « la Mille et Deuxième nuit ».
J'avais réuni plusieurs artistes et j'avais mis mes
moyens à leur disposition pour réaliser un ensemble
que personne n'avait jamais pu créer jusqu'alors. Je
donne ici une reproduction du programme qui expli-
quera mieux que des paroles les moyens dont je me
servais pour bouter le feu dans les imaginations. Les
artistes, stimulés par ce document, voulaient tous
répondre à mon appel d'une façon flatteuse, et c'est
ce qui créa la circonstance merveilleuse que je vais
raconter !

La maison était fermée par des tapisseries, de telle
sorte que les regards de la rue ne pouvaient y pénétrer. On était reçu comme dans un théâtre par une
escouade de vieux messieurs en habit, contrôleurs qui
ne plaisantaient pas et épluchaient soigneusement les
invités. « Pardon, monsieur, vous êtes en habit. C'est
une fête costumée, vous ne pouvez pas être reçu. —
Mais, monsieur, mon habit est recouvert d'un manteau
chinois authentique. — Monsieur, nous ne sommes pas
en Chine, nous sommes en Perse, et votre costume n'a
rien à faire dans ce cadre. Je ne peux donc pas vous
laisser entrer à moins que vous ne changiez de costume. — A cette heure-ci, c'est impossible. — Pardon,
monsieur, si vous voulez monter au premier étage, on
peut vous improviser, avec des documents authentiques, un costume persan, qui vous fera honneur et qui
ne déparera pas l'ensemble de la fête. »

(Je connaissais la négligence de quelques-uns de mes
habitués, et j'avais prévu le cas.)

Quelques-uns refusèrent de se costumer à mon goût et se retirèrent et d'autres, mieux avisés, acceptèrent le costume que je leur imposais.

Les invités ainsi triés passaient par petits groupes dans un second salon où un nègre demi-nu, drapé dans des soies de Boukhara, armé d'une torche et d'un yatagan, les groupait et les conduisait jusqu'à moi. Ils traversaient d'abord une cour sablée où, sous un vélum bleu et or, des fontaines jaillissaient dans des vasques de porcelaine. On eût dit le patio ensoleillé de quelques palais d'Aladin. A travers les couleurs du vélum tombait une lumière multicolore. Ils montaient quelques marches et se trouvaient devant une immense cage d'or, grillagée de ferrures en torsade, et à l'intérieur de laquelle j'avais enfermé ma favorite (Mme Poiret) entourée de ses dames d'honneur, qui chantaient de véritables airs persans. Des miroirs, des sorbets, des aquariums, des petits oiseaux, des chiffons et des plumes, telles étaient les distractions de la reine du harem et de ses dames d'honneur. On pénétrait ensuite dans un salon où il y avait un jet d'eau, qui paraissait sortir du tapis et retombait dans une vasque de cristal irisé.

Dans la pièce suivante, où l'on accédait par deux larges portes, il y avait un talus, fait de coussins multicolores unis ou brodés, au sommet duquel était accroupi le grand tragédien de Max. Il était habillé d'une gandoura de soie noire et portait autour de son cou des perles innombrables en sautoir. Il m'a dit qu'une Américaine de ses amies lui avait confié ce soir-là tous ses joyaux (il y en avait pour trois millions). Il contait des histoires tirées des *Mille et Une Nuits,* un doigt levé en l'air selon le geste consacré des conteurs orientaux, et les badauds, hommes et femmes, s'étaient accroupis en cercle autour de lui.

Sans s'arrêter dans ce passage, on pénétrait dans le jardin qui était obscur et mystérieux. Des tapis recouvraient les dalles du perron et le sable des allées, de

sorte que le bruit des pas y était amorti et qu'il y
régnait un grand silence. Les promeneurs, impression-
nés, parlaient à voix basse, comme dans une mosquée.
Au milieu des parterres de broderie, était le vase de
cornaline blanche annoncé par le programme. Des
lumières masquées dans les feuillages d'alentour l'éclairaient d'étrange manière. Il s'en échappait un mince jet
d'eau, pareil à ceux qu'on voit dans les estampes persanes, et des ibis roses se promenaient tout autour
pour prendre leur part de cette fraîcheur et de cette
lumière. Certains arbres étaient couverts de fruits lumineux bleu sombre ; d'autres portaient des baies de
lumière violette. Des singes, des aras et des perroquets
vivants animaient toute cette verdure qui paraissait
l'entrée d'un parc profond. On m'apercevait au fond,
semblable à quelque sultan bistré à barbe blanche, tenant un fouet d'ivoire. Autour de moi, sur les marches
de mon trône, toutes les concubines étendues et lascives
paraissaient attendre et redouter ma colère. C'est là
qu'étaient conduits, par petits groupes, les invités qui
venaient faire leurs salamalecs selon la tradition isla-
mique.

Quand mes trois cents invités furent réunis, je me
levai et, suivi de toutes mes femmes, je me dirigeai vers
la cage de ma favorite, à qui je donnai la liberté. Elle
s'échappa comme peut s'échapper un oiseau, et je me
précipitai à sa poursuite, faisant claquer mon fouet
inutile. Elle se perdit dans la foule. Savions-nous, ce
soir-là, que nous étions en train de répéter le drame
de notre vie ?

Alors, les buffets s'ouvrirent et les spectacles com-
mencèrent. Des orchestres cachés se firent entendre discrètement, comme pour respecter la calme splendeur
de cette nuit d'ivresse. Je pris plaisir toute la nuit à
jouer sur la sensibilité de mes hôtes comme sur un
clavier. Deux de mes amis venaient constamment prendre mes instructions et je leur donnais le signal des
attractions, qui devaient être d'un intérêt croissant. Il

y avait dans un coin la baraque de la pythonisse, qui
portait des diamants incrustés dans les dents, et du tri-
pier, dont le peintre Luc-Albert Moreau, affreux et san-
guinolent, faisait les honneurs. Il y avait le potier qui
tournait les petits vases d'argile de ses doigts gourds
mais savants. Et tout à coup on rencontrait le marchand
de ouistitis, couvert d'animaux qui lui grimpaient sur
les épaules et sur la tête, en jetant des regards malicieux
et poussant des cris stridents. Et voilà le bar ténébreux,
où les liqueurs seules étaient lumineuses. Quel alchi-
miste avait préparé la fantasmagorie éclatante de ce
laboratoire inquiétant ? Cent carafes aux longs cols,
cent aiguières de cristal contenaient tous les breuvages
dont la gamme s'étend des anisettes violettes et des
bitters grenats aux pippermints d'émeraude et aux citron-
nelles d'or, en passant par les advokaats laiteux et les
grenadines aux cramoisis acidulés. Il y avait encore les
cocos, les orgeats, les chartreuses, les gins, les ver-
mouths, les orangeades, les kirschs et les prunelles. On
entrait là et tous ces peintres qui étaient mes invités
jouaient comme avec une palette de tous ces tons purs
qu'ils mélangeaient à plaisir, dans la transparence de
leurs flûtes.

On confectionnait ainsi des boissons mystérieuses et
coupables qui étaient un régal pour la vue et une
surprise pour le goût. Puis, Régina Badet dansa sur
une pelouse dont le gazon ne fut pas foulé par ses
pas, tant elle était légère et immatérielle. La vue des
spectateurs rassemblés, assis ou étendus sur des coussins
et des tapis, n'était pas moins belle que le spectacle
de la danse. C'était un amas confus de soieries, de
bijoux et d'aigrettes qui chatoyaient comme un vitrail
sous la lune.

On vit danser encore Trouhanowa, houri généreuse
et fantasque. Puis, l'exquise et délicate Zambelli, fuyant
les ardeurs d'un mime agile et passionné. Plus tard,
on vit sortir des frondaisons et à ras de terre, des flammes et des gerbes d'étincelles qui montaient sans bruit

jusqu'à la hauteur des épis et s'épanouissaient comme des fleurs de verre.

Puis, une cataracte de feu couronna le palais et brusquement l'atmosphère résonna d'un bruit déchirant. De la terrasse qui dominait le jardin jaillit une pluie de feu qui venait frapper les marches des perrons. On craignit l'incendie des tapis. Tantôt d'argent et tantôt d'or, cet orage excitant électrisait la foule et quand il s'éteignit, il laissa partout des insectes phosphorescents, accrochés dans les branches ou suspendus dans l'éther. Les singes et les perroquets, troublés dans leur sommeil, faisaient entendre des cris effarés. Le petit jour les trouva pleins d'énervement, brisant les chaînes qui les retenaient dans les branches, les uns prenant leur vol, les autres fuyant à grandes enjambées vers les Champs-Elysées, par les toits voisins.

Tandis que vingt nègres et vingt négresses entretenaient de myrrhe et d'encens des brûle-parfums, dont les fumées bleues embaumaient l'atmosphère, une flûte et une cithare se faisaient entendre dans un bosquet et troublaient les sens. Des cuisiniers hindous préparaient des hors-d'œuvre et des spécialités culinaires de leur façon, usant des produits, des fruits et des artifices de leurs climats.

Au matin, on vit le peintre Fauconnet, dans sa robe blanche, semblable à un équilibriste ou à un jongleur de profession, divertir et étonner la foule avec une orange, qu'il faisait disparaître et apparaître comme font les fakirs.

L'assistance était composée d'artistes et d'amateurs délicats qui se mettaient à l'unisson et cherchaient à augmenter par leur présence l'intérêt de cette solennité grandiose. Les plus fortunés d'entre eux, comme la princesse Murat et M. Boni de Castellane, ont souvent répété qu'ils n'avaient de leur vie rien vu d'aussi émouvant que les spectacles qui remplirent cette nuit miraculeuse.

Naturellement, il s'est trouvé des gens pour prétendre que je donnais ces fêtes à titre de publicité, mais je veux flétrir cette insinuation qui ne peut avoir pour origine que la sottise.

Je n'ai jamais cru à la valeur de la publicité et si on m'en a fait beaucoup c'est qu'on me l'a offerte gratuitement, car je ne suis pas de ceux qui paient pour qu'on parle d'eux.

Ces fêtes où je comptais mes amis me faisaient beaucoup de tort parmi mes adversaires et soulevaient contre moi ceux qui n'avaient pas eu la chance d'y être admis. On connaît Paris, ils se vengeaient bassement en colportant des histoires scandaleuses aussi fausses que méprisables.

A quelque temps de là, une dame de l'aristocratie me fit demander chez elle. Elle désirait me consulter sur l'opportunité d'une fête qu'elle voulait offrir à ses amis et qui s'appellerait la mille et deuxième nuit. Je l'arrêtai immédiatement pour lui donner son numéro véritable : mille et trois, et je lui représentai que la mille et deuxième avait été donnée quelques jours auparavant chez moi. Elle me demanda de lui donner quelques conseils sur la manière dont elle devait tirer parti de sa maison. Je vis une galerie assez large et je lui conseillai d'en faire une allée de cyprès empruntée aux miniatures persanes. Il fallait naturellement enlever les tableaux qui étaient sur les murs et les serrer ailleurs pour quelques jours.

— Oh ! s'écria-t-elle, mon mari ne consentira jamais à décrocher ces merveilles, auxquelles il est très attaché.

— Vous comptez bien pourtant déménager ces chaises longues Louis XV, qui n'ont rien d'oriental, et ces bergères, qui ne sont pas dans le caractère de la fête.

— Jamais de la vie, s'écria la belle dame. Ce sont des meubles de famille qui sont l'honneur de ma maison. On ne peut pas sans risques les transporter ou les déplacer.

Sur ce, je renonçai à m'occuper des projets de

Mme de Ch... La fête eut lieu, elle fut charmante et brillante.

Boni de Castellane m'approuva, Boni de Castellane qui était un grand connaisseur en matière de réjouissances ; aussi suis-je sensible à l'opinion qu'il gardait de celles auxquelles il a assisté chez moi. Les fêtes données autrefois chez la duchesse de Doudeauville, me disait-il, pouvaient être aussi fastueuses, mais ne répandaient certes pas les trésors d'imagination et d'invention décorative que je dépensais sans mesure.

Boni de Castellane et M. Robert de Rothschild qui, par leur situation mondaine, étaient à même d'apprécier tout ce qu'on faisait à Paris dans ce genre, m'ont décerné la palme. Aussi bien, j'invitais peu de gens du monde, heureux de n'associer au milieu d'artistes que je fréquentais que des amateurs dignes de l'aimer et de le comprendre.

Boni de Castellane, dont tout le monde connaît la silhouette, eût été le chef du protocole d'un autre régime. Il aimait l'ancien et acceptait le moderne, et c'était avant tout un homme de discernement et de choix. Il choisissait comme on ouvre avec un couteau les pages d'un livre, je ne veux pas dire au hasard, mais avec une certitude et une précision implacables. Son goût ne pouvait le tromper. C'est à la première représentation du *Minaret* que je le vis pour la première fois, sanglé dans son habit noir, la tête altière, la canne folle, dandy provocant et insolent avec un perpétuel haussement d'épaules, les coudes au corps et le mollet fringant d'Achille. Il représentait pour moi le personnage que j'avais rêvé de mettre debout autrefois quand j'avais voulu créer un journal.

J'avais imaginé d'évoquer devant Tout-Paris la figure d'un personnage que j'appelais « Le Prince » (c'était le titre du journal). Cet individu tracassant et impertinent ne tenait pas en place. Il assistait aux premières, visitait les expositions, entrait dans les magasins, se faisait montrer les collections et ne se croyait jamais obligé d'y laisser des commandes, mais prélevait des échantillons de tout ce qui lui plaisait. Il avait une opinion sur tout, en politique, en musique, en architecture, en matière de justice comme en matière de cuisine, et il ne se privait jamais de la dire ou de l'écrire. C'est même ce qui constituait son journal, ou si vous voulez le mien. J'avais rêvé de confier la cuisine à Tristan Bernard, les sports à Anatole France, les arts à Laurent Tailhade, la politique à Sacha Guitry et d'en faire les quatre collaborateurs uniques, inspirant « Le Prince ».

La première visite que je fis fut pour Sacha Guitry. Le projet parut lui plaire. Il m'interrogea sur l'aspect du journal ou plutôt m'expliqua comment il le voyait lui-même, et voulut m'obliger d'admirer une de ces reproductions de tableaux de maître que font les Anglais ou les Suisses avec le procédé de la trichromie. Nous ne pouvions nous entendre sur le choix d'un procédé aussi éloigné de mes intentions artistiques. Je quittai Guitry très déçu et je ne le revis jamais. Je renonçai à ce projet, mais je n'ai jamais aperçu depuis Boni de Castellane sans regretter mon Prince, dont il était l'incarnation si parfaite.

J'ai organisé plus tard un grand bal à l'Opéra, sur la demande de la princesse J. Murat. C'était un problème difficile que de rendre gai l'Opéra, vaste vaisseau cramoisi et or d'un solennel et d'un faste désuets. J'acceptai néanmoins, et je fis le bal des Perroquets que je traitai dans une harmonie rouge et violette, en imposant ces deux couleurs pour les costumes, comme cela se pratique dans les carnavals de Provence.

Je fis encore pour Cornuché, à Cannes, une série de fêtes dont les habitués se souviendront toujours. Il fallait trouver chaque semaine un prétexte nouveau pour attirer une clientèle sollicitée sur toute la côte par des attractions diverses. Il y eut une fête de l'Or, une fête de Paris, une fête de New York, etc., et chacune servit de prétexte à une distribution d'accessoires appropriés qu'on s'arrachait positivement en dépit de la bonne éducation qui régnait partout. Je cessai de m'intéresser à ces solennités le jour où Jean-Gabriel Domergue voulut s'en occuper.

XIII

AU BUTARD

Un jour que je me promenais dans les bois de Fausses-Reposes avec mon ami Desclers, je tombai au hasard de mes pas, sur un pavillon de pierre qui était une merveille d'architecture. J'appris qu'il avait été construit par Ange-Marie Gabriel, l'architecte même de Trianon et des deux grands palais de la place de la Concorde. Louis XV avait besoin aux environs de Versailles d'un rendez-vous où il pût se débotter au retour de ses chasses. Il avait demandé qu'on lui édifiât cette folie. Il y était venu quelquefois. Louis XVI y vint aussi, notamment le jour où on assassinait ses gardes suisses, et ce roi débonnaire et indifférent écrivait ce même jour dans son journal : « Eté au Butard. Tué une hirondelle. » Heureuse nature !

D'autres souverains y sont allés et Napoléon Ier lui-même, qui usait de tous les fastes de ses prédécesseurs. Puis, sous l'égide de la République, tout était tombé en désuétude et en ruine, malgré le zèle de conservateurs démunis de ressources. Je songeai donc à aborder les bureaux compétents et à leur demander le droit de réparer les corniches, de restaurer les voûtes décrépies et d'entretenir cette merveille d'art à mes frais, moyennant quoi je serais autorisé à l'habiter.

Quelques semaines après, on me louait le pavillon pour un prix plus que modique, mais j'y fis de grosses dépenses. Il fallait y amener l'eau, y aménager un cabinet de toilette et des commodités dont le roi de France s'était passé. Puis je voulus rendre à ce bijou son lustre et sa majesté d'autrefois. Je fis de gros sacrifices pour acquérir le tapis d'Aubusson et la suite de fauteuils et de canapés qui convenaient exactement à son ameublement. Des candélabres de l'époque, des appliques authentiques où on brûlait la chandelle du temps, un clavecin et des instruments de musique ancienne : violes de gambe, violes d'amour, pochettes, etc., pendirent le long des boiseries. On y évoqua les musiciens du XVIIe et du XVIIIe siècles, Gluck, Rameau, Daquin et Couperin et le pavillon reprit son sourire de la belle époque.

Le quatuor Parent y donna un jour un concert de musique ancienne, dont mon ami Naudin avait dessiné les programmes représentant sous la coupole du grand salon les exécutants d'autrefois, réunis autour d'un clavecin, à l'occasion d'un menuet de Couperin. Un personnage, debout à droite, était le portrait même de Naudin.

Le succès de cette fête délicate me fit songer à reconstituer pour tous mes amis une des kermesses de Versailles. Je réunis mes camarades artistes et je les mis dans le secret de mes projets. Naudin trouva un ballet de Lulli qui s'appelait *les Festes de Bacchus* et qui pouvait être reconstitué avec du goût et de l'ingéniosité. Nous en avions. Les cantates de Rameau, *Diane et Actéon, l'Impatience*, furent exhumées également et, enfin, nous reconstituâmes un ballet du XVIe siècle, de G. Gastoldi, musique de Pallavicino, où on voyait successivement apparaître les personnages suivants : l'Empressé, le Maître à danser, la Courtisane, le Matamore, le Prisonnier, le Plein d'Amour, le Donneur de sérénades, la Tourmentée et le Souffleur de chandelles. La scène se passait sur un tréteau comme au temps de Tabarin.

La fête eut lieu le 20 juin 1912. Le prétexte était
le suivant : j'avais supposé que tous les dieux, les déesses,
les nymphes, les naïades, les dryades et les satyres du
parc de Versailles s'étaient secrètement donné rendez-
vous dans le bois voisin, au pavillon du Butard. Tous
mes invités devaient donc emprunter les traits d'un
personnage appartenant à la mythologie de Louis XIV.
Ils arrivaient presque tous dans leurs voitures, qui
étaient garées dans un coin de la forêt, mais quelques
autobus partant de la place de la Concorde avaient
cueilli à Paris les habitants de l'Olympe qui n'avaient
pas d'automobiles. On les fit traverser Paris en vitesse
pour ne pas donner l'éveil aux curieux. A leur arrivée,
ils étaient accueillis par des nymphes voilées de blanc,
porteuses de torches qui les escortaient dans la nuit, à
travers les grands arbres de la forêt, vers le pavillon où,
solennellement, je les recevais, vêtu comme la statue
chryséléphantine de Jupiter Olympien : Des cheveux
d'or tout bouclés, la barbe d'or également, drapé de
voile blanc d'ivoire et chaussé de cothurnes. Toute la
partie de la forêt que j'occupais et où devait se dérouler
la fête avait été décorée dans l'esprit du grand siècle. Là,
il y avait un buffet grandiose, sous des tonnelles de
treillage ; vingt maîtres d'hôtel tout en blanc procé-
daient à la distribution des couronnes, des guirlandes
et des festons de fruits qui garnissaient les tables. Des
pyramides de pastèques, de grenades et d'ananas ponc-
tuaient l'architecture de leur richesse décorative. Ailleurs, c'était une gargotte champêtre, sorte de guinguette pour les soldats du Roy, et où des commères
bachiques couronnées de pampres et de vignes versaient
les vins nouveaux. Derrière elles, des tonneaux entassés
promettaient l'allégresse. Devant elles, il y avait des
baquets remplis d'écrevisses écarlates, des paniers pleins
de raisins, de cerises et de groseilles. Une bacchante dis-
tribuait des cornes comme celles où buvaient les
bergers d'Arcadie. On prenait une corne, on la rem-
plissait au tonneau et on la vidait tout entière... mais

la pointe en est longue et contient beaucoup de vin.

J'avais trois cents invités. Ils burent dans la nuit 900 litres de champagne nature et le spectacle était tellement beau et l'esprit de la fête tellement élevé qu'il ne se produisit aucun éclat, aucun scandale ; tout se déroula dans un ordre parfait. Chaque apparition d'artiste était l'occasion d'un enthousiasme débordant. Des voitures électriques masquées dans les taillis versèrent toute la nuit leurs lumières sur les jeux de la scène, tandis que dans un buisson quarante musiciens, sous la direction du chef d'orchestre Desportes, jouaient la musique précieuse de Bach, de Lulli, de Boccherini.

Quand le spectacle commença, au moment même où Bacchus entrait en scène avec Silène et son âne, on crut qu'il allait être interrompu par une pluie torrentielle — une averse se déclara. J'avais été prévenu de cette menace par l'Observatoire de la tour Saint-Jacques qui prévoit tout. Je montai sur la scène et d'un geste je calmai l'inquiétude de mes invités. Au même instant, la pluie cessa, on crut que Jupiter avait commandé l'élément. Puis, quand se termina la représentation, les invités se répandirent dans la forêt, en attendant le souper qui fut servi aux premiers rayons du soleil. A quatre heures du matin, les vingt maîtres d'hôtel dressèrent les tables devant le pavillon d'Ange-Marie Gabriel, du côté où il est surmonté par un fronton de Coysevox, représentant une chasse au sanglier, et accompagnés de vingt nymphes, ils défilèrent parmi les petites tables où s'étaient groupés les invités ; ils portaient sur leurs têtes ou sur leurs épaules les fastes d'un souper que Vatel n'eût pas désavoué : trois cents melons, trois cents langoustes, trois cents foies gras, trois cents glaces, etc.

Isadora Duncan voisinait avec le maître de la maison. Grisée par le vin et par la splendeur du spectacle, autant que par la popularité dont elle jouissait dans ce milieu d'artistes, elle escalada le perron qui était la scène, fit jouer une aria de Bach et l'interpréta avec son

talent inoubliable. Jupiter ne pouvant résister à cette
suggestion se mêla à ses jeux, et on le vit danser comme
dansent les dieux. Ce fut une improvisation délirante
qui ne dura qu'un instant, et on m'a répété que des
convives avaient été émus jusqu'aux larmes de tant de
beauté rassemblée. C'est à sept heures du matin seulement que les autobus, les Renault et les Voisin, dépo-
sèrent dans Paris les nymphes à demi dévêtues et leurs
dieux un peu fripés.

A quelque temps de là, Isadora Duncan songea
à me rendre la politesse que je lui avais faite en la
mettant en lumière devant tous les artistes de Paris
réunis. Elle organisa une fête du même genre, une
fête grecque également, et convia tout le monde dramatique et artistique de Paris à cette solennité, dans son
studio de Neuilly. Je m'y rendis avec ma femme sans
savoir l'honneur insigne qui m'était réservé. Quand
Isadora eut placé ses convives, il ne resta plus qu'une
petite table de deux couverts, au centre de toutes
les autres ; elle occupa l'un et m'offrit l'autre. J'étais
un peu encombré de cette prédilection et un peu confus
d'être ainsi mis en lumière ; il me sembla que cette
faveur était déplacée, mais je n'avais ni le temps ni
le moyen d'y réfléchir, dans le voisinage de cette bacchante qui m'attirait à elle en réclamant du champagne
et des baisers. Comme le souper tirait à sa fin, il me
sembla que j'avais pris devant Paris une attitude et
des responsabilités bien compromettantes, d'autant plus
que M. P. S. (le bon Prince ?) apparut inopinément
devant notre petite table, dans son costume grec recouvert d'un pardessus parfaitement moderne ; il dit alors
en se tournant vers ses fils :

— Qui de vous m'accompagne chez moi ? Il n'y a
plus place pour moi dans cette maison.

C'était m'obliger à prendre une attitude. J'estimai ne
pas devoir répondre à la provocation, et je m'effaçai
pendant qu'Isadora Duncan lui disait au revoir avec
affectation. Puis on dansa et surtout Elle dansa magni-

fiquement, merveilleusement, divinement, comme seule
Elle sut le faire. Devant le grand miroir de son atelier,
on vit une petite silhouette longtemps immobile développer les gestes lents et compassés d'une magicienne
qui répandrait autour d'elle toutes les séductions, tous
les philtres du rêve, et de minute en minute précipitant
les pulsations, elle accélérait le rythme de son incantation jusqu'à s'épuiser en tournoiements éperdus, et fina-
lement s'écraser sur le sol comme dans une grande dé-
faite. Combien de fois n'ai-je pas vu ce spectacle sans
y éprouver la moindre émotion ? Toutes les danseuses
ne tentent-elles pas de renouveler l'image du spasme
humain et de sa chute ? Isadora seule à exprimé la grandeur et la pauvreté de ce thème, et elle l'a fait avec une
élévation de sentiment qui lui conquit tous ses admira-
teurs. Elle dut monter à sa chambre pour y prendre
un peu de repos et de fraîcheur, après l'effort qu'elle
venait de produire. Elle y était encore à trois heures
du matin, quand M. P. S. entra en coup de vent. La
plupart des invités étaient encore accroupis dans le
studio, devisant par petits groupes ; j'aperçois dans mon
souvenir Mme Cécile Sorel, Mme Rachel Boyer,
Mlle Marie Leconte, Mme Desti, Van Dongen,
Mme Jasmy ; j'étais près de la porte dans un coin
sombre — je crois d'ailleurs qu'il faisait sombre partout. « Où est-elle ? » demanda brièvement M. P. S.
Quelqu'un lui répondit qu'elle était dans sa chambre,
il monta en furie et trouva son amie en étroite conversation avec M. Henri Bataille. Il partit sans mot dire.
J'étais soulagé d'un grand poids.

Je suis très à mon aise pour raconter cette petite
scène, car, malgré ce qu'on a pu dire, penser ou insinuer, je n'ai jamais eu avec Isadora que des relations
amicales, mais je la plaçais très haut dans mon cœur.
Nous avions plusieurs fois communié dans l'ordre de la
beauté et nous avions élevé nos âmes dans les mêmes
circonstances. Un jour qu'elle était venue me demander
d'assister à un de ses concerts, elle me trouva très affecté

par la perte que je venais de faire de mon meilleur collaborateur, qui était aussi un ami dont j'ai parlé dans le chapitre précédent, M. Rousseau. Je lui dis que j'étais trop triste pour sortir. Elle insista pour que je vinsse, me donna la grande loge du milieu de la salle pour que je pusse assister au spectacle avec les amis qui avaient connu mon fidèle Rousseau et me dit : « Quand ce sera fini, ne vous en allez pas. Restez dans la salle et je danserai pour lui. »

Après les ovations d'usage (elle était acclamée trente fois, car le public électrisé ne parvenait pas à s'arracher au charme d'une idole avec laquelle il venait de communier si étroitement), elle entretenait la flamme de l'enthousiasme en paraissant tantôt avec un bouquet de marguerites, tantôt avec une seule rose, tantôt avec un baiser plein d'expression. Enfin la foule s'écoula. Je restai seul avec mes amis dans le grand amphithéâtre du Trocadéro, où on avait éteint les feux les plus aveuglants. Elle avait demandé au maître Diémer, qui était là, de s'asseoir au grand orgue et d'y jouer, comme il savait le faire, la marche funèbre de Chopin. Mon cœur se gonfle et s'oppresse quand j'évoque ce que j'ai vu ce soir-là. Quelqu'un a dû décrire quelque part Isadora dansant, et expliquer le miracle. Elle sortit de terre comme en naissant, se livra à une mimique échevelée, humaine, pathétique et déchirante, et retomba au néant avec une majesté et une douceur que je ne peux exprimer. Je courus tout en larmes dans ses bras pour lui dire la joie profonde qu'elle m'avait donnée et combien j'étais fier d'avoir offert une messe si solennelle à la mémoire de mon ami. Elle me dit simplement : « C'est la première fois que je danse cette marche funèbre. Je n'avais jamais osé le faire. Je craignais que cela ne me portât malheur. »

Moins de quinze jours après, elle perdait ses deux enfants dans un accident plein d'horreur.

Il m'arrivait de lui demander des conseils esthétiques. Elle me recevait dans l'intimité pour m'initier à ses recherches, notamment à Bellevue, dans le palais qui est aujourd'hui le ministère des Inventions et où elle travaillait avec Walter Rummel. Un jour, elle me demanda quelle était à mon avis l'intelligence la plus caractéristique de notre époque. Je ne crois pas que j'étais qualifié pour lui répondre, mais dans le feu de la conversation, je lui citai plusieurs noms et parmi eux celui de Maeterlinck, dont je venais de lire une œuvre récente. Elle m'expliqua qu'elle rêvait de construire un enfant, qui aurait l'architecture d'Isadora et le génie d'un poète. « Je fais très bien les enfants, me disait-elle, mais il me faut quelqu'un qui leur donne une flamme intellectuelle aussi belle que leur physique. » J'eus la discrétion de ne pas suivre la chose jusqu'au bout, mais on m'a rapporté qu'elle avait simplement proposé l'affaire à Maeterlinck, qui s'était abrité derrière sa situation conjugale. On ajouta qu'elle avait été trouver Mme Georgette Leblanc pour lui demander de lever son veto. Je ne sais rien, sinon qu'un matin Isadora apparut chez moi, radieuse, et me dit : « Poiret, j'ai un bel enfant grand comme ça » et, des deux mains, elle indiquait une dimension exceptionnelle.

J'avais prononcé un nom : celui de Maeterlinck, mais j'avais pensé à un autre, et je n'étais empêché de le dire que par ce que je connaissais de ses goûts et de ses penchants. Je ne pouvais me représenter Max Jacob dans les bras d'Isadora. Mais n'eût-il pas été curieux de voir un fils né de cet archange breton amphibie, dont les ailes ont porté de l'ombre sur toute la jeunesse de notre époque. Max fut pour moi un ami charmant, et je caresse encore souvent le livre qu'il m'a dédié et qui passera un jour pour une de ses plus belles œuvres, quand le public sera dégagé des influences nébuleuses. C'est *le Cinématoma*.

La vie nous a placés sur des rails différents. Nous n'avons ni les mêmes goûts, ni les mêmes croyances, car il est aujourd'hui plus catholique que moi-même, mais je lui garde un tendre souvenir et une pieuse admiration, en dépit des coups et des blessures que nous échangeons sans cesse. C'est l'homme paradoxe, qui se débat toujours entre deux extrêmes et dont l'âme est continuellement tiraillée par deux forces complémentaires et rivales, Dieu et Satan, le blanc et le noir, le vice et la vertu, l'eau et le feu, Rome et Jérusalem.

J'étais déjà son ami quand il voyait apparaître Jésus dans sa chambre de la rue Ravignan, et j'écoutais plein de recueillement ses révélations sur la signification symbolique et mystique de ses parements bleus sur sa robe jaune.

Un jour, Max me demanda de donner dans mes salons une conférence sur la symbolique de saint Luc, qui, selon lui, devait intéresser Tout-Paris. Je fis imprimer six mille invitations dont il voulut écrire lui-même les enveloppes, car il prétendait ne s'adresser qu'aux grands de la terre. Tout-Paris fut alerté. Trente personnes se dérangèrent, parmi lesquelles un prêtre qui, à la fin de la réunion, se leva pour exiger quelques éclaircissements du conférencier. « Comment, lui disait-il, et pourquoi vous occupez-vous de ces questions ? Comment pouvez-vous expliquer le saint sacrifice de la messe ? Etes-vous jamais allé à la messe ? »

Et Max Jacob, plus piquant que piqué, lui répliquait du tac au tac :

— Moi, monsieur le curé, mais sitôt que j'ai un sou, c'est pour aller à la messe...

XIV

LA GUERRE

J'ai toujours détesté les militaires, moins à cause des mauvais traitements qu'ils m'ont infligés qu'en raison du temps qu'ils m'ont fait perdre. Songez qu'avec la guerre, le service obligatoire et les périodes de vingt-huit jours, j'ai été soldat près de six années, et pendant les plus belles époques de mon existence, celles où mon activité pouvait m'être le plus profitable. Et puis, j'ai l'esprit critique, et puis je suis plus habitué à commander qu'à obéir, et puis je les ai toujours trouvés médiocres et insuffisants, même dans la victoire. Pourtant, j'aime mon pays et j'ai quelquefois pleuré en voyant mon drapeau.

On ne trouvera donc pas dans ces pages le côté martial qui pourrait convenir à un soldat de la grande guerre. J'y ai joué, hélas ! un rôle médiocre, effacé, émaillé seulement par des aventures héroï-comiques, que je vais essayer de vous dire :

Deux mois avant la guerre, j'étais en Allemagne où j'accomplissais une tournée commerciale. C'est là-bas que je reçus un ordre d'appel, qui m'intimait de prendre part à une période d'instruction militaire. J'allai trouver le consul de France à Cologne et je lui demandai de prévenir la place de Paris que je ne serais

de retour que dans un mois. C'est ainsi qu'on agit
en pareil cas. Il me promit de le faire, il ne le fit pas.
Sans doute avait-il à cette époque d'autres chats à fouet-
ter. Quand je retournai à Paris, au début de juillet,
je reçus la visite de deux individus d'aspect bien caractéristique qui demandaient à me parler personnellement
et confidentiellement. Sitôt que nous fûmes seuls, l'un
d'eux me dit qu'il était porteur d'un mandat d'amener
contre moi, et sortant de sa poche des menottes : « Je
viens donc pour vous arrêter. Je pense que vous ne
ferez pas de difficultés. » J'éclatai de rire devant sa
moustache et lui dis que je ne me sentais coupable
d'aucun délit, mais que, bien que sans peur et sans
reproches, je consentais à le suivre, à la condition qu'il
prît un taxi à mes frais.

Un quart d'heure après, nous étions à la Concier-
gerie, où on me mensurait de pied en cap, prenait ma
photographie, mon signalement, mes empreintes digi-
tales ; ces formalités accomplies, je fus dirigé sur les
Invalides, au Gouvernement militaire de Paris, où je
fus enfermé avec les insoumis. Mes camarades étaient
assez peu rassurants d'aspect et d'autre part, le gendarme qui détenait la grosse clef de la serrure ne voulait
pas répondre des 10 000 francs que je portais sur moi
par hasard. Il me dit : « J'ai pas de tiroir qui ferme
à clef. Et comme j'veux pas garder cet argent-là, j'vas
prévenir le gouverneur. » Il envoya un planton, et un
quart d'heure après, la porte s'ouvrait pour me laisser
sortir devant le sourire de mes nouveaux camarades
qui pensaient, en regardant mon chapeau de paille et
mes chaussures jaunes : « Encore un rupin qu'a des
relations. »

Le représentant du gouverneur s'étonna de me trouver là et pensa que mon arrestation était l'effet d'un
malentendu. Il m'offrit de me mettre en liberté provi-
soire, à la condition expresse que je me rendrais à son
premier appel, ce que, bien entendu, j'acceptai.

Je partis le soir même rejoindre ma famille qui était

en vacances à Kerfany, en Bretagne. J'avais loué les trois villas et même l'hôtel qui composent tout ce hameau, pour m'assurer que j'y serais seul avec mes invités pour éviter les importuns. J'avais chez moi une famille d'artistes viennois et l'écrivain Roger Boutet de Monvel, frère du grand portraitiste. Je commençais à profiter de mon repos. Un jour que je revenais de la pêche en mer, avec des raies, des langoustes en quantité miraculeuse, on me dit que Jaurès avait été assassiné, et qu'on craignait la mobilisation pour l'après-midi.

Après déjeuner, je me rendis au village voisin, et au moment où j'y arrivais, sonna le tocsin. Les paysans ne tardèrent pas à revenir des champs ; la fourche sur l'épaule, ils s'abordaient les uns les autres en se disant : « Eh bien, on va aller voir, Guillaume ! » Les femmes pleuraient sur la porte de leurs chaumières. Le pharmacien et le maire, avec M. le comte de Beaumont, échangeaient à voix basse des propos graves.

De retour chez moi, je fis préparer mes valises, ma voiture. Il fallait partir le soir même. Je dis à mon Viennois que j'allais l'emmener à Paris avec moi. Il me dit que sa bicyclette était détraquée. « Il n'est pas question de ça, lui répondis-je. La guerre a été déclarée par l'Autriche à la France. Nous étions camarades hier, nous ne le sommes plus aujourd'hui. Je ne puis pas, moi Français, partir contre l'Autriche, et laisser des Autrichiens dans ma maison. Je vous emmène avec moi et vous serez le premier prisonnier inscrit au tableau. » Je le ramenai à Paris, avec des égards, mais à côté du chauffeur et je le remis le lendemain matin entre les mains du Gouvernement militaire qui l'écroua.

Le temps de passer mon uniforme et de faire mes adieux à ma maison qui fermait pour une période indéterminée, à mes employées que je laissais sur le pavé. Beaucoup d'entre elles m'accompagnèrent à la gare en pleurant, quand je partis rejoindre mon corps. J'arrivai à Lisieux et je déclinai mon matricule au caporal qui recevait les réservistes. « Vous êtes insoumis, me dit-il. 15ᵉ compagnie, bâtiment de gauche. » Je protestai. Je n'étais pas insoumis. L'affaire était en voie d'éclaircissement. Il devait y avoir une lettre du consul, etc., etc. « Je m'en fous, vous êtes porté insoumis. 15ᵉ compagnie, bâtiment de gauche. »

A la 15ᵉ compagnie, je rencontrai tous les insoumis de mon recrutement, c'est-à-dire la haute et la basse pègre, les individus louches et sans aveu, les hors-la-loi. Je n'étais pas fier. On nous mettait en observation et on ne nous envoyait pas au feu tout de suite, doutant de notre loyalisme et de la manière dont nous pouvions nous y conduire.

Le lendemain, le régiment tout entier se rassemblait pour partir à Charleroi, où on attendait la grosse poussée des Allemands. J'avais le cœur gros de ne pas partir avec lui. Mais la 15ᵉ compagnie était en observation.

Quelques jours plus tard, mon régiment était décimé. J'avais perdu la plupart de mes anciens camarades. J'en vis revenir quelques-uns éclopés et blessés, dans les premiers trains sanitaires. Le consul de Cologne m'avait sans le savoir sauvé la vie par sa négligence.

Mon signalement me désignait « tailleur », on m'employa donc chez le tailleur du régiment. Il était étonné que je ne sache pas coudre et me prenait pour une mauvaise tête.

J'eus la chance de rencontrer à Lisieux deux amis que j'appréciais vivement. Le premier était Eschemann qui, en raison de sa condition matérielle, souffrait beaucoup de la vie militaire. J'ai dit que c'était un causeur délicieux, d'une fantaisie outrecuidante, qui savait sauter d'un sujet à l'autre avec une brusquerie et une audace irrésistibles, et qui inventait les transitions les plus abracadabrantes. Je lui offris de partager ma modeste chambre d'hôtel. Nous dînions le soir avec Derain, le célèbre peintre, qui était cycliste et nous avions la consolation, au milieu de cette vie d'ennuis et de menaces, de

donner parfois quelques coups d'aile vers les arts, notre
sujet favori.

Nous habitions l'hôtel du Maure, une vieille auberge
où je dus faire retendre ma chambre pour qu'elle fût
propre. J'y mis un papier tricolore, qui me rappelait
à tout instant ce que j'étais venu faire là. Je me suis
laissé dire que le patron de l'hôtel la montrait encore
aujourd'hui, comme si elle eût été celle de Bonaparte
lui-même...

C'est dans ce décor mémorable mais misérable que
Derain attaqua mon portrait. Je ne voulais pas être
peint en soldat, ce costume étant fort peu de mon genre.
Je revêtis des effets civils et il s'attacha à dégager mon
caractère qui, paraît-il, est despotique et vénitien. Il
fit un très beau portrait que je gardai jalousement jusqu'au jour où des cataclysmes financiers m'obligèrent à
m'en défaire. Le lendemain, gagné par l'exemple, je
fis le portrait d'Eschemann.

C'est alors que je présentai à la section technique
de l'habillement un nouveau modèle de capote, dont
j'étais l'inventeur. Sa confection exigeait soixante centimètres de moins que le modèle réglementaire et écono-
misait quatre heures d'ouvrier. On me conduisit au
ministre pour lui soumettre ma création. M. Millerand
était à l'extrémité d'une grande table, entouré de tous
les généraux et directeurs de son ministère. Je pus lui
expliquer les avantages de mon nouveau modèle, malgré
les généraux choqués de ma liberté, qui voulaient m'imposer silence et me disaient : « On ne vous a pas inter-
rogé. » Millerand donna l'ordre de m'emmener à Bordeaux pour y organiser la confection industrielle de ce
nouveau type d'uniforme.

J'engageai quelques-uns de mes collaborateurs habituels à m'y suivre, et je leur promis d'assurer leurs
frais de séjour pendant quelque temps, jusqu'à ce que
l'affaire fût sur pied et leur permît de vivre de leurs
émoluments. Pendant trois mois, je les conservai à ma
charge. J'étais à Bordeaux absolument désœuvré, mal-

gré mon impatience de me rendre utile. J'allai voir
Clemenceau et lui dis que j'étais venu pour faire des
vêtements militaires et qu'on ne m'en faisait pas faire ;
qu'il y avait une église désaffectée dont on pouvait
faire une merveilleuse manufacture, qu'il y avait trois
mille femmes sans travail, dont on pouvait faire des
ouvrières couturières, enfin, qu'il y avait à Angoulême
un dépôt de machines à coudre allemandes dont on
pouvait tirer parti. On sortirait douze mille capotes par
jour, car on en manquait ! Clemenceau me remercia
de ma communication, mais se plaignit à moi de ne
pouvoir se faire entendre au conseil des ministres, d'être
tenu à l'écart, déconsidéré. Il ne pouvait promettre
d'être utile à ma cause. Il ferait néanmoins passer une
note à Millerand. Le lendemain, l'intendant dont je
dépendais songeait brusquement à donner suite aux
conversations de Paris. « Où en êtes-vous avec votre
nouvelle capote ? — J'attends votre bon plaisir, tous
mes patrons sont prêts. — Il faut rédiger une notice,
savez-vous rédiger une notice pour le Bulletin officiel ? »
Ce n'était pas ma manière de faire des vêtements. Je
ne savais pas. Non sans manifester quelque mépris de
mon ignorance, il rédigea lui-même une note adressée
à tous les tailleurs de France et de Navarre. C'était
un document amphigourique, où on lisait que *la boutonnière du pan de la capote devait être orientée selon
la bisextrice de cet angle, de telle sorte que son pro-
longement devait rencontrer la dernière boutonnière du
devant,* etc. Ce fatras fut envoyé dans toutes les régions
aux tailleurs de régiments, et chaque corps répondait
télégraphiquement qu'il ne comprenait pas les instructions nouvelles. Je fus donc expédié dans ma propre
voiture, d'abord à Marseille pour y réunir tous les tailleurs de la région et leur montrer mon nouveau modèle
de capote en leur expliquant la manière de l'exécuter.
Je pris avec moi les collaborateurs que j'avais conservés, pensant leur trouver une utilité et un emploi. J'arrivai à Marseille un matin, et à la porte Saint-Antoine,

je fus arrêté par un groupe d'agents, en bourgeois
ou en uniformes. On nous fit tous descendre de la voiture
et on nous emmena au commissariat voisin. Là, on téléphona au commissaire spécial et les premiers mots de
la communication furent : « Nous les tenons ! » Je
bondis, et demandai ce que cela voulait dire. « Vous
verrez bien », me fut-il répondu et, escortés d'un agent
sur chaque marchepied et d'un autre à côté du chauffeur, on nous conduisit au bureau de la place, devant
un vieux colonel du genre baderne.

— A nous deux, mon gaillard ! me dit-il. A quel
corps appartenez-vous ?

— Troisième corps de Rouen.

— Alors, voulez-vous me dire ce que vous faites
ici ?

— Rien de plus facile, je vais vous le dire, répliquai-je avec calme.

— C'est ça, dans votre intérêt, dites-moi toute la
vérité !

— D'abord, je voudrais que vous ne me considériez
pas comme un prévenu, mais comme un soldat qui est
en train d'accomplir son devoir. Je vous suis envoyé
par le ministère.

Il éclata de rire :

— Quel ministère ?

— De la Guerre, naturellement.

— Faites attention à ce que vous dites. Je vais
téléphoner à Paris et je vais savoir si c'est vrai.

— C'est à Bordeaux qu'il faut téléphoner. Le ministère de la Guerre s'est replié.

— Voulez-vous d'abord me faire visiter votre voiture, et me montrer les caissons de munitions ?

— Je ne comprends pas.

— Oui, vous avez des caissons de munitions ? Où
sont-ils ?

— Je n'en ai pas, je ne sais pas ce que cela veut
dire.

— Voulez-vous que j'envoie chercher des experts ?

— Si vous voulez. Je n'ai rien à craindre de leur compétence.

Et deux experts vinrent, qui se répandirent dans la boue sur le dos, pour se relever en disant : « Il y a un caisson de munitions. » Je ne comprenais plus rien, et je me demandais si je n'étais pas le jouet d'une machination, quand mon chauffeur leur expliqua qu'il s'agissait du pont arrière, placé très bas dans ce nouveau modèle de Renault.

On téléphona au ministère qui confirma que j'étais bien l'envoyé officiel de l'Intendance. Il importait de réunir immédiatement tous les industriels du vêtement, et de leur faire une conférence. Le ton du colonel devint mielleux immédiatement. Il m'appelait « Monsieur » et comme il était midi, il m'envoya déjeuner avec mes employés, me priant de revenir à trois heures. Mais, comme je passais le coin de la Cannebière, je fus arrêté par le signal d'un agent, qui sortit de sa cartouchière un petit carnet où il chercha une indication. Il dit alors à voix basse à son voisin : « C'est eux », et il me pria de le suivre au commissariat spécial. En route, il me dit que j'étais signalé dans toute la France, qu'il y avait des ordres pour tirer sur ma voiture si je ne m'arrêtais pas au premier signal.

Après des pourparlers sans fin et des explications sans nombre, j'étais une seconde fois relâché, mais il était quatre heures de l'après-midi quand je pus aller déjeuner. A six heures, j'étais à la Place chez mon colonel. « C'est comme ça que vous êtes exact ? » me dit-il. Mais je lui expliquai que j'avais été encore une fois arrêté. Il me promit de donner contrordre et de faire télégraphier dans toute la France que j'étais un personnage tabou.

La conférence eut lieu. Tout le monde parut comprendre mes explications et je reçus à Marseille l'ordre d'aller à Limoges, où je me livrai à la même opération, non sans avoir été arrêté une fois de plus à je ne sais quel passage à niveau, où le contrordre n'était pas encore parvenu. De Limoges, on m'envoyait à Cherbourg. En passant à Rennes, à proximité de ma famille qui était encore en Bretagne, je demandai à l'état-major la permission d'avoir ma femme dans ma voiture pendant les deux jours que je passais dans la région. Elle me fut accordée. Il faisait un temps déplorable. Ma femme avait un grand manteau jaune et des bottes assorties. Nous nous arrêtâmes à Coutances pour regarder la façade de la cathédrale. Un gendarme prit le numéro de la voiture et je reçus à Cherbourg l'ordre de rejoindre immédiatement mon corps à cause de ma conduite à Coutances.

Depuis, j'écrivis à mon intendant pour savoir quelle sorte de reproches on avait à m'adresser. Il me répondit qu'un rapport secret d'un gendarme de Coutances était parvenu au ministre.

Je ne sais pas à la suite de quelle circonstance, je me trouvai alors pendant deux mois démobilisé. Je profitai de cette période pour travailler un sujet qui ne m'était guère familier : celui de l'administration militaire. Je passai mon examen et fus nommé officier d'administration de troisième classe, affecté au magasin général de Vanves et de là, à celui de Reims. Je fis la connaissance alors de tous les grands industriels du champagne. J'habitais rue Chaude-Ruelle une petite maison qui était la propriété d'une ancienne cuisinière de Paris mariée à un vieux jardinier. Je trouvais là de jolies fleurs et de bonne cuisine, mais la plus sommaire des chambres. J'y reçus quelques vedettes du champagne, qui venaient goûter les croûtes aux champignons de la mère Simon et qui me faisaient cadeau des plus rares bouteilles de leurs caves. Je fréquentais aussi mes amis de la section de camouflage qui étaient des artistes peintres et c'était pour moi la meilleure distraction de dîner à leur table.

Un soir que nous nous promenions sur les collines d'Epernay, à l'époque où elles sentent bon le fin tilleul des fleurs de la vigne, nous fûmes repérés par un avion

qui dirigea sur notre groupe quatre engins de grosse
taille. Nous n'avions pour nous défendre que nos porte-
plumes et nos pinceaux, et nous rentrâmes sous terre.

Le bombardement d'Epernay était commencé. Il fallait coucher dans les caves, par terre ou sur des matelas,
avec toute la population. On se serait cru à l'époque
où les premiers chrétiens disaient la messe dans les
catacombes. J'eus la surprise un matin, en remontant
de mon souterrain, de trouver la toiture de la mère
Simon trouée d'un obus.

On m'envoyait quelquefois accomplir à Reims des
missions grotesques. Comme on ne me donnait rien
d'autre à faire, je les considérais comme une distraction.
On m'envoya notamment visiter tous les merciers de
la grande ville pour voir s'il y restait du fil et des
boutons. Je n'avais pas revu Reims depuis les beaux
jours. Je fus scandalisé en y arrivant : c'était un tas de
gravats où nul être humain ne pouvait circuler ; des
chats faméliques parcouraient ce décor désolé. Je fis
quelques pas à travers ces ruines où je ne pouvais songer à rechercher des merciers, absolument introuvables.
Les Allemands qui m'apercevaient de leurs tanières me
firent l'honneur de régler un tir sur ma personne. C'était
les premiers obus que j'entendais. Je fus assez désagréa-
blement impressionné. Je me précipitai dans un trou
qui conduisait à une galerie, et la galerie à un corridor,
le corridor à une voûte qui était la cave de la Veuve
Cliquot. Je trouvai là quarante bons Français à table
parmi les jambons, les bouteilles de champagne et les
candélabres. M. Werlé, le maître de cette maison, qui
paraissait être ce jour-là le château de quelque boyard,
me fit une place à sa table et me demanda de choisir
le vin que je voulais boire. Les tuyaux d'adduction des
eaux étaient crevés, les caves inondées ; on allait dans
une barque à la godille, à travers les foudres et les
barriques. Je me promenais comme à Venise au milieu
de ces richesses, et je voyais défiler devant mon bateau
les années les plus réputées de la montagne de Reims.

Mais je m'arrêtai devant une barrique de calvados 1804 et de fine 1806. Je leur prélevai deux bouteilles. Le déjeuner fut somptueux, on chanta de vieux refrains et des couplets grivois. C'était une espèce de fête de tous les jours qu'on menait chez ces gens offerts à la mort à tout instant.

A cinq heures du soir, on vint nous dire que le bombardement était fini. Quand je remontai à la surface de la terre, je me trouvai complètement ivre. Je découvris dans mes poches seize bouchons de bouteilles de champagne, les avais-je bues ? Heureusement, j'avais une heure de chemin dans une voiture ouverte pour cuver mon malheur. Je rentrai à Epernay et je fis un rapport sur les merciers disparus.

Je devais finir mes jours de guerrier à Clermont-Ferrand, où j'étais envoyé en 1917 pour diriger de grands ateliers de coupe et de confection d'uniformes. Je fus accueilli par un officier d'administration de première classe, très important, très sûr de lui et qui paraissait fier de son accent toulousain ; je lui fis politiquement quelques compliments sur l'importance de ses magasins généraux et sur l'ordre qui paraissait régner dans ses services.

— Hélas, me dit-il, c'est une grosse affaire et une lourde responsabilité. Il me passe par les mains des dizaines de mille francs tous les jours, et naturellement, avec un mouvement pareil, il se produit parfois des erreurs... et monsieur l'intendant général ne veut pas comprendre que c'est impossible à éviter.

— C'est bien naturel, pourtant, lui dis-je sérieusement.

— Il me rend responsable et exige le remboursement de ma poche des sommes qui peuvent disparaître...

— Vraiment...

— Dans mon dernier état mensuel, il m'a manqué une somme de 6 000 francs dont la destination est introuvable ; il faut que je découvre l'attribution de ces

6 000 francs, ou que je les mette de mes deniers, ce qui n'est pas facile ; il faut que je les emprunte.

— Evidemment...

— Il faut que je trouve un Crésus qui puisse sans se gêner me donner cet argent, que je lui rembourserai petit à petit, dans six mois par exemple. Vous ne connaissez pas ça ?

— A première vue, je ne vois pas... D'autant plus que j'arrive de Paris et je ne connais personne à Clermont-Ferrand...

— Il doit bien y avoir un homme aisé qui ne refuserait pas d'obliger un camarade...

— Les Crésus se font de plus en plus rares. Moi qui ne suis pas Crésus je ne suis pas aussi riche que complaisant et malgré tout mon désir d'obliger un ami...

— Eh bien, je vous prends au mot, et si j'ai besoin de quelque chose, je me permettrai de vous le dire, en camarade. Je vous remercie de votre geste que je n'oublierai pas, monsieur Poiret.

J'étais désolé du tour qu'avait pris la conversation et furieux de ce malentendu. Dès le lendemain matin, il était dans mon bureau et m'emmenait sur la place de Jaude où, devant la statue de Vercingétorix, il me tapait cordialement d'un apéritif et de 6 000 francs. Il me remettait des billets pour une somme égale, dont le premier venait à échéance six mois après.

J'eus dans mon service toutes les tribulations et toutes les embûches possibles. J'avais pour intendant un malade qui était l'homme le plus terrible de son emploi, et réputé dans toute la France pour sa méchanceté incisive et raffinée. Je voudrais avoir gardé les notes pointues et fielleuses qu'il décochait à tout moment pour donner une idée de son caractère haineux et cruel. Heureusement, la fin de la guerre approchait. Je ne pensais qu'à l'atteindre avant de m'être mis dans un mauvais cas. Je faisais tout pour éviter une collision avec cet individu qui, lui, cherchait un incident.

Quand on parla de démobilisation, on fit passer une note dans tous les bureaux indiquant que certains officiers pouvaient être considérés comme indispensables et conservés à la tête de leurs services pendant quelques mois encore. Comme mon capitaine ne pouvait pas me rembourser, il craignit que mon départ ne me donnât l'occasion de lui réclamer ses paiements en retard. Je fus donc porté comme indispensable et retenu de ce fait au-delà de la date que j'attendais. Je sollicitai une entrevue de l'intendant général et m'étonnai devant lui qu'on m'eût accordé la mention d'indispensable alors que j'avais été l'objet de tous les reproches, de toutes les fureurs de l'intendant B... qui m'avait contesté toute valeur dans mon service. Cette opinion sur moi était incompatible avec la prétention de me déclarer indispensable. La logique de ce raisonnement frappa monsieur l'intendant qui fut très correct et me dit : « Monsieur Poiret, je comprends votre hâte de reprendre votre place à la tête de vos occupations habituelles, mais je ne vous laisserai partir que si j'obtiens de vous l'assurance que vous poursuivrez votre débiteur... » Je ne savais pas qu'il fût au courant de notre marché. Je lui promis d'être rigoureux et je pus m'en aller emportant mes 6 000 francs et l'opinion que j'ai gardée de messieurs les militaires.

J'eus l'occasion de passer quelques semaines à Paris pour m'occuper d'une exposition de propagande française en Espagne. Les couturiers avaient organisé des défilés à Madrid et on m'avait fait venir pour en régler les détails. C'est alors que j'eus deux jours de suite deux contraventions infligées à mon chauffeur par le même agent, la première pour usage du klaxon, la seconde pour stationnement irrégulier. Quand mon chauffeur me dit la seconde fois qu'il avait encore une contravention, je descendis de mon bureau pour interpeller l'agent draconien et je lui demandai s'il avait une vieille querelle à vider avec mon mécanicien, car il était inadmissible d'être persécuté de la sorte, et j'ajoutai dans un langage bien militaire : « C'est insupportable d'être emm..... par des gens qui n'ont rien à f..... ».

A partir de cet instant, mon compte était bon, l'agent qui était du type pâle et rageur, avec des yeux glauques, fit un rapport à la Place de Paris. C'était l'époque où les adjudants d'aviation écrasaient les pieds des flics en vitesse et les terrorisaient dans l'avenue des Champs-Elysées. Des ordres avaient été passés pour que ces modestes fonctionnaires se fissent respecter. Je fus convié devant un conseil de guerre. Je ne songeais pas à en rire, et j'étais simplement scandalisé qu'un si mince événement pût prendre des proportions si tragiques ; mon ami Peytel, avocat, qui avait gagné la Légion d'honneur sur les champs de bataille, s'offrit à me défendre.

Quand le moment arriva pour moi d'entrer dans le prétoire, comme prévenu, vêtu de mon uniforme et entouré de seize soldats, baïonnettes au canon, je crus que je mourrais de honte.

Mais, mon émotion fut à son comble quand le conseil de guerre fut introduit et quand je vis que j'allais être jugé par un colonel nègre. Dans mon trouble, je me demandais si j'étais au vaudeville ou au Grand-Guignol. Comment cela pouvait-il tourner ? Quels rapports pouvais-je avoir avec ce nègre ? Saurait-il comprendre ce qu'il y a de bénin dans mon apostrophe si populaire ?

Il mòntra qu'il n'était pas tout à fait noir, et il eut toute la grâce et tout l'esprit des créoles. Je fus condamné à cinquante francs d'amende. J'aurais bien mis davantage pour dire à cet agent toute ma pensée.

XV

AU MAROC

Je sentais que je ne pouvais me remettre au travail avant d'avoir repris contact avec quelque élément de beauté vivifiant et pur. J'étais très déprimé par la vie militaire, et je ne devais qu'à mon robuste équilibre de n'avoir pas sombré dans la neurasthénie. Je me décidai tout à coup à passer quelques semaines au Maroc, avant de rendre la vie à mes affaires, divisées en trois branches, couture, parfumerie, décoration intérieure qui, toutes, avaient périclité pendant mon absence, au point de cesser toute activité.

Je ne ferai pas une relation de voyage sur ce pays qui a été dépeint par les Tharaud et tant d'autres écrivains de talent. Il y a pourtant des choses dont je dois parler, parce qu'elles ont fait naître chez moi des états d'esprit, dont je subis peut-être encore l'influence. Il y a des spectacles qui m'ont laissé une empreinte si profonde que ma mémoire en est comme dominée.

Ainsi, je reverrai toujours dans le ghetto de Casablanca le peseur d'or, aux traits de Shylock, et qui regardait avec avidité sa petite balance. Ses deux petits-fils, élevés dans quelque collège de Londres, jeunes dandies en pantalons gris, avec la petite veste d'Eton, et le chapeau melon, avaient fait des kilomètres de voyage pour embrasser sa barbe soyeuse, mais lui regardait sa balance et n'en détachait pas ses yeux, jusqu'à ce qu'il eut acquis une certitude précise. Alors, il se retourna et posa sur chacun d'eux une de ses mains maigres et blanches. C'était un tableau de famille bien caractéristique, qui présentait en raccourci la grande aventure d'Israël dans le monde.

Je m'avançai dans le territoire marocain. Je connus les Aïssaoua tragiques et mystiques. Quand je fus à Marrakech, je crus passer des journées dans l'histoire sainte. La Mamounia n'existait pas encore, et les hôtels étaient sommaires. J'habitais dans un ancien palais et ma chambre n'était fermée que par un rideau que le vent soulevait sur une cour plantée d'orangers, de citronniers, où bruissait incessamment la chanson d'un ruisseau. Je passais mes journées près de la porte Bab el-khémis et je cheminais hors les murs, le long du fleuve desséché, qui roule encore assez d'eau pour qu'on y lave les moutons. C'est le chemin qui mène au quartier des tanneurs, où, dans l'âcre puanteur de la décomposition, je ne cessais d'admirer ces hommes de cuivre semblables aux Egyptiens peints ou sculptés sur les murailles des hypogées. Je retrouvais l'homme à la brouette, le scribe accroupi et celui qui porte sur son épaule un faisceau de licteur, les pieds strictement l'un derrière l'autre, les jambes roides, le regard direct, le cou perpendiculaire sur les épaules carrées. C'était encore Tobie et les frères Macchabées. J'étais ému comme si un accident m'avait versé sur une autre planète ou reporté aux premiers âges. Une nature sablonneuse et chaotique, portant çà et là le plumeau d'un palmier, rachitique mais centenaire, une poussière rousse, un brouillard d'or, à travers lequel les chameaux et les gandouras paraissaient des spectres vermeils, tout contribuait à me donner la nostalgie d'un pays et d'une époque où j'ai peut-être passé une existence antérieure.

C'est Fez qui m'arracha à l'emprise que je subissais à Marrakech. Fez m'apparaît encore aujourd'hui comme la

plus belle chose que j'aie vue en ce monde. Le soir où
j'y arrivai (c'était le jour du Ramadan), une grande
angoisse régnait dans tout le peuple. On attendait la voix
des trompes qui devaient éclater en même temps sur tous
les minarets de la ville, quand une certaine étoile aurait
paru à l'horizon. Viendrait-elle ce soir-là, comme on
l'espérait, ou ne serait-elle visible que le lendemain ?
On jeûnait passivement en l'attendant. Je gagnai mon
hôtel, situé près de la porte de Bab Ghissa, et je montai
sur la grande terrasse d'où je découvrais toute la ville
blanche et rose, construite en amphithéâtre entre les
deux collines qui la dominent et l'encadrent. Quelle
paix ! On entendait les voix une à une, distinctement,
monter vers les cieux comme des fumées verticales. On
voyait, comme dans un plan, les voies couvertes, les
ruelles en pente, parmi les terrasses hérissées de minarets
blancs, dont la pointe devenait rose et orange à mesure
que le soleil tombait, et cette couleur, d'abord tendre,
qui caressait toutes les pointes des mosquées et des
maisons, se fit peu à peu ardente et incandescente. La
ville était comme une coulée de lave ou de cuivre en
fusion dans quelque creuset gigantesque. Mais le creuset s'emplit de cendre mauve et les pointes s'éteignirent.
La sandaraque recouvrit le brasier et le miracle quotidien mua tous les tons pour les noyer dans une harmonie mauve et bleue qui était la nuit.

J'étais pénétré de recueillement et j'aurais voulu dire
en arabe à Allah sa prière favorite, quand tout à coup
éclata, à quelques mètres de moi, sur le sommet d'un
minaret voisin, un tonnerre de trompes au timbre
inconnu, et de tous les coins de la ville des bouches de
cuivre répétèrent les mêmes cris, appels délirants et
joyeux. En un clin d'œil toutes les femmes furent sur les
terrasses, dans des oripeaux étincelants, roses et oran-
gés. Elles poussaient des cris aigus en frappant leurs
lèvres de leurs doigts joints. Des feux de joie s'allumaient
sur les maisons des riches. On y jetait de l'encens et des
rameaux d'olivier pour qu'ils éclairent mieux.

Pendant une heure, toute la cité fut en proie à une allégresse bruyante et aiguë, comme une crise de *delirium tremens*. Parmi les feux de joie tout roses, on voyait partout jaillir de petites fusées misérables, vertes et bleues, car ce sont les seules que permette la commission des poudres. Ces vermicules lumineux dessinaient sur toute la ville des arabesques fugitives, et éclataient sans bruit, inoffensifs et puérils. Puis, la foule se dissipa tout à coup comme elle était venue et s'égrena vers on ne sait quelle agapes invisibles, vers on ne sait quelle intimité mystérieuse et cachée. Je restai sur la terrasse comme pour prolonger l'extase des minutes inoubliables que je venais de vivre. Que devenait la fantasmagorie d'une Mille et Deuxième nuit, comparée à cette éclatante réalité ?

Une autre émotion m'attendait encore le lendemain, quand j'entendis le conteur de la porte de Bab Ghissa.

Les murs de la ville de Fez donnent à l'extérieur sur des campagnes vertes et plantureuses, mais violemment accidentées. La porte de Bab Ghissa s'ouvre dans le décor virgilien d'un cimetière en amphithéâtre. Entendons-nous. Un cimetière arabe, où les tombes sont des dalles à fleur de terre, dans des gazons riants et fleuris. Pas de croix, pas de stèles, pas de colonnes, mais des banquettes de terre ou de pierre, où des familles viennent prendre le thé pour distraire leurs disparus et converser avec eux. On amène des amis, des petits oiseaux dans une cage et on passe sa journée en tête à tête cordial et animé avec les décédés. On chante, en se frappant dans les mains pour marquer le rythme. Ces champs de morts sont pleins d'ombres blanches qui sont les silhouettes des vivants recueillis et pleins de piété.

Tandis que cette scène se déroule sur les pentes du coteau, les caravanes et les troupeaux de bœufs, de moutons, d'ânes et de chameaux disparaissent sous la porte de la ville, silencieuses et eurythmiques. Vers cinq heures, le jardin-cimetière se couvre d'une foule plus serrée. Avec un calme imposant, tous les hommes s'installent sur les degrés inégaux de ce théâtre naturel et tous attendent patiemment on ne sait quelle cérémonie. Quand les gradins sont remplis d'une foule multicolore, dans la verdure de ce décor, un vieillard à barbe blanche s'approche et vient s'asseoir sur un siège bas, au pied même du mur de la ville qui sert de tympan à sa voix fluette. Il commence lentement une tranquille histoire qui doit devenir progressivement le plus terrible roman de cape et d'épée qu'on puisse demander à l'invention des hommes. Par moments, il lance un trait ou une saillie qui déclenche, dans toute l'assistance, un rire silencieux. Toutes les bouches s'entrouvrent, toutes les épaules sont secouées pour quelques instants. Quand le calme revient, il continue. Et il en est ainsi tous les jours de l'année ; il m'arrive souvent de penser le soir, à cinq heures : « En ce moment-ci, à cette minute même, le conteur de la porte de Bab Ghissa s'assoit sur son siège et commence à conter son histoire dans le silence et le recueillement. » Et à six heures, je les vois tous se relever ensemble, du même mouvement, lorsque la voix du muezzin, au sommet du minaret, pointe vers le ciel ses notes pinchardes et les appelle à la prière. Je rêve de vivre dans mon pays une existence paisible et extasiée comme celle-là et de me fondre dans une communion parfaite avec la nature dont le spectacle m'a toujours élevé au-dessus de moi-même et des choses.

A mon premier voyage au Maroc, j'eus l'honneur d'être reçu par le maréchal Lyautey, dans son ancienne résidence de Rabat ; la nouvelle, qu'il avait entreprise et qu'il n'a presque pas habitée n'était pas encore terminée. Pendant le déjeuner, comme on parlait des conditions politiques générales et des menaces suspendues sur l'Europe, je dis au maréchal : « S'il y avait une vague de bolchevisme en France, vous verriez sans nul doute une vague de bourgeois au Maroc, car les Français considèrent qu'ils ont ici un jardin, et peut-être un lieu de retraite. » Alors, le maréchal sans sourciller, mais avec un œil terrible, me lança : « Je n'accepte-

rais pas tout le monde, et je repousserais les inutiles.
— Mais, tout de même, répliquai-je, si les Français
voulaient s'installer ici ? » Alors, le maréchal ouvrant
la main droite, la referma d'un geste énergique et prononça : « J'ai les indigènes dans la main. » Cette parole
peu républicaine me plut infiniment. Elle était celle d'un
chef, et j'ai toujours aimé les chefs, persuadé que je
suis que nous en manquons. Nous n'avons plus que
des meneurs.

Mais je ne fus pas seulement reçu par les autorités
françaises. Je devins l'ami du pacha de Marrakech qui
me traita toujours en grand seigneur. On connaît le
faste de ses réceptions. Il a cinquante-deux cuisiniers,
et les jours de gala chacun d'eux confectionne sa spécialité. Si je ne craignais pas de me lancer dans des
digressions culinaires, je dépeindrais cette bassine de
cuivre dans laquelle on me présenta deux cents œufs
brouillés. Ceux qui n'ont mangé que des œufs brouillés
dans de petits plats européens doivent faire le voyage
du Maroc pour apprendre ce qu'est un œuf brouillé
mélangé à cent quatre-vingt-dix-neuf œufs brouillés. Il
y a aussi la pastilla, qui est une merveilleuse galette
feuilletée, grande comme un grand guéridon, et à l'intérieur de laquelle on trouve, en fouillant bien de ses
trois doigts, des pigeons farcis de chair à saucisses et
de frangipane. C'est une merveille. Inutile de dépeindre
les méchouis, que toutes les maîtresses de maison pratiquent aujourd'hui couramment. Je dirai un mot de cette
salade composée d'un lit de fenouil, d'un lit d'oranges
et d'un lit de cerfeuil haché, givrée de sucre en poudre,
qui se présente à vous comme une pelouse d'hiver, et
qui, dans la bouche, rappelle tous les vergers du prin-
temps et de l'été. Tous ces trésors gastronomiques,
honneur des traditions arabes, seraient fort peu de chose
sans la recherche qui les entoure. Nulle hospitalité n'est
plus distinguée, nul accueil n'est plus empressé et plus
raffiné que ceux de ces petits monarques qui règnent
sur des populations de quatre cent mille hommes. Des

esclaves bigarrés et multicolores s'agitent autour d'eux, portant sur leurs épaules et sur leurs têtes des aiguières et des hanaps en cuivre, d'énormes coupes d'argent. C'est toute une messe qui se pratique autour des convives, réunis sur des coussins autour d'une table basse. Un Européen y fait triste figure, même quand il arbore ses costumes officiels. Ah ! que j'aurais voulu porter ces gandouras superposées de toile de soie blanche et de mousseline de laine, de linge à beurre, qui les fait ressembler à de fraîches outres ! Ces visages sombres et ces yeux de braise dans la fraîcheur glaciale de ces vêtements sont tout à fait troublants et les doigts noirs lissant sur la paume de la main une boulette de couscous seraient tout à fait inquiétants si les ongles n'étaient soignés aussi bien, sinon beaucoup mieux que ceux de nos diplomates.

Le pacha de Marrakech, El Glaoui, ce qui signifie le Montagnard, m'avait accueilli dans la cour de son palais, où il était en train de rendre la justice. Quand il me vit apparaître, il suspendit la séance d'un geste et s'approcha de moi portant plein d'air et de mouvement dans les plis de son manteau comme un doge de Tintoret ou comme un Othello du Greco.

Le soir, comme il me faisait visiter sa demeure, qui est celle d'un gentilhomme amateur de panoplies, de trophées et d'armures, je pénétrai dans sa chambre, où je trouvai un lit de cuivre surmonté d'un baldaquin à colonnes, drapé de mousseline de soie rose. A côté du lit, sur une table de chevet Louis-Philippe, je découvris un poignard, un browning, dernier modèle et un brave fusil de chasse, comme chez un garde de Sologne. Je m'étonnai du regard et je lui désignai ces objets en lui disant : « Pourquoi ? » Alors, avec un triste sourire contraint et résigné, il me dit simplement : « J'ai des frères. »

Puis il me conduisit dans son garage particulier qui était comme un haras de pur-sang automobile. Les Hispano et les Mercedes des bonnes années y voisinaient

avec les Voisin et les Bugatti. « Choisis », me dit El
Glaoui. Et à partir de cet instant, une de ses voitures
fut la mienne, un de ses chauffeurs s'étant mis à mon
service flanqué d'un interprète.

— Où veux-tu aller ? Il faut que tu ailles à Demnat,
qui est un joli village.

Et je partis à Demnat avec mes amis, parmi les
pistes embroussailléees ou désertiques.

Quand nous arrivâmes aux environs de Demnat,
couverts de poussière et de sable, nous connûmes
l'impression que doit être pour des voyageurs du désert
la rencontre d'une oasis : les premiers arbres avaient
plus d'ombre et plus de fraîcheur que tous les autres.
C'étaient des cèdres bleus, et des chênes qui nous parurent gigantesques, des oliviers centenaires, et nous com-
mencions à nous étonner du mystère qu'ils répandaient
autour d'eux, quand un nuage de poussière vint à notre
rencontre : des cavaliers, envoyés par le caïd de Demnat,
venaient nous souhaiter la bienvenue. Après un court
échange de compliments, ils nous accompagnaient
comme une escorte, caracolant adroitement contre les
roues de notre voiture. Nous arrivions près du château,
qui ressemble à une forteresse féodale, et dont le pont-
levis s'abaissa devant nous.

Notre voiture s'arrêtait sous un péristyle. Des inten-
dants nous accueillaient et le caïd vint à nous, selon
les rites de la bienvenue musulmane.

Une grande pièce, qui donnait sur une cour plantée
de citronniers, nous fut ouverte et nous y trouvâmes une
fraîcheur délicieuse. A peine y étions-nous installés
que des esclaves y apportèrent des plateaux chargés de
fruits et de pâtisseries indigènes. D'autres, soucieuses
de notre repos, portaient des coussins innombrables.
Nous nous laissions aller à la douceur du climat et à
cette paresse encourageante. La nuit tombait, avec tout
le cortège de ses bienfaits. Nous dormions.

Mais la lourdeur capiteuse de l'Orient et ses senteurs
nous empêchaient de goûter le repos, et nous nous

levions à tous moments, soit pour écouter un oiseau, qui sifflait une chanson insolite, soit pour respirer le parfum des orangers, des tubéreuses et des œillets qu'exhalaient les jardins et la cour, comme si on avait foulé des fleurs. Il y eut même un rossignol, que je crus l'oiseau Bulbul détaché des *Contes des Mille et Une nuits* par mon ami le Dr Mardrus, tant il se montra savant dans ses vocalises et plein d'enchantement.

Au petit jour, nous entendîmes des vociférations régulières, comme des voix de femmes qui, toutes, partaient du même point. Nous découvrîmes un petit escalier qui conduisait à une terrasse et de là nous pouvions voir des femmes qui avaient été condamnées le jour précédent à recevoir un certain nombre de coups de bâton. On exécutait la sentence, et elles poussaient des cris rythmés comme pour bien mesurer la durée de cet aimable supplice.

XVI

L'OASIS

J'adorais mon jardin, j'y passais des heures délicieuses. J'y déjeunais quand il faisait beau. On dressait la table dans un retrait qui me permettait d'en jouir sans être vu des passants. Et le soir, j'y dînais dans la paix relative de Paris. J'aurais pu me croire dans un parc lointain, sans le bruit des voitures et avec un peu plus d'oxygène.

Je songeai à faire partager aux Parisiens pendant l'été les délices de cette oasis, et je réfléchis aux moyens d'y donner des spectacles tout à fait raffinés qui s'adresseraient à l'élite de la société. Il fallait d'abord composer le cadre du théâtre, et pour s'assurer qu'il pouvait fonctionner tous les soirs, le mettre à l'abri de la pluie et des intempéries. Mais peut-on couvrir un jardin, où il y a des arbres séculaires ? Un jour que j'en causais avec Voisin, le grand fabricant d'automobiles qui est aussi un grand inventeur et qui n'est jamais arrêté par des formules ou des routines, il me proposa de confectionner un dôme dans le tissu dont on fait les dirigeables, ce caoutchouc jaune que vous connaissez bien. Cette enveloppe était double, elle s'étendait sur toute la surface de mon jardin et devait l'abriter complètement. Chaque soir, un moteur spécial l'emplissait d'air comprimé jusqu'à ce qu'elle devînt rigide. Quand cette sorte de carapace était gonflée à bloc, elle formait un toit sur lequel on aurait pu marcher, mais elle n'avait aucun poids et il était facile de l'élever par un plan et de l'amener au-dessus du jardin à une hauteur suffisante pour qu'on ne fût pas privé de la vue des arbres.

Rien que l'application de cette découverte de Voisin à un théâtre de plein air de Paris soulevait la curiosité, provoquait l'étonnement et semblait bien digne d'un novateur comme lui, ou comme moi. Sous cette coupole vermeille, semblable à un énorme rayon de miel, je plaçai des fauteuils multicolores, confortables et spacieux, où on goûtait une aimable détente, en écoutant paresseusement les pièces rares que j'y fis jouer.

Le premier spectacle s'ouvrait par une conférence d'Antoine. Il s'agissait d'un faux Antoine qui, sans aucun maquillage, et par le simple effet d'une grimace ou d'une contraction, imitait à s'y méprendre le visage de l'ancien directeur de l'Odéon. Le jour de la première, le vrai Antoine était là et ce n'est pas lui qui s'amusa le moins.

Ayant cherché dans tous les répertoires des pièces ou des saynètes de qualité exceptionnelle, qui fussent des curiosités, je m'arrêtai sur le livre de Paul Reboux et Charles Muller : *A la manière de...* On joua *Idrophile et Filigrane*, parodie de Maeterlinck, ou *la Triche*, parodie d'un drame de Henry Bernstein, et puis il y eut cette désopilante fantaisie de mon ami Bain, dit Bagnolet, et qui s'appelait *le Secret des Mortigny ou de l'amour à la honte, et vice versa*, interprétée par la troupe des Mortigny, composée d'artistes peintres pleins de fantaisie et de quelques actrices professionnelles.

Une autre fois on y reconstituait le café-concert parisien et les bals musettes des cinquante dernières années. On y voyait la Taglioni, la Paiva, la Patti, Lola Montès, et toutes les grandes hétaïres de l'Empire,

spectres lâchés en liberté dans le décor reconstitué de
leurs vingt ans. Le bal Mabille, avec ses boutiques et
ses guinguettes, le Jardin de Paris, avec ses rampes
de becs de gaz, furent intégralement reproduits, et les
vieux Parisiens en étaient touchés jusqu'au fond du
cœur. On voyait apparaître sur la scène toutes les étoiles qui avaient lancé les chansons les plus célèbres :
*En revenant de la revue, les Pioupious d'Auvergne,
D'vant les bains de la Samaritaine,* par Paulus, et Paulus
n'était autre que René Fauchois, le grand écrivain qui,
en raison de sa ressemblance frappante avec cette célèbre vedette, avait accepté par amour de l'art de venir
tous les soirs faire son tour de chant dans mon théâtre,
que j'avais appelé *l'Oasis.* Un soir, le fils de Paulus
ayant entendu parler de cette résurrection, se trouvait
dans la salle. Il pleura, croyant revoir son père et courut
embrasser Fauchois dans sa loge tant il lui était reconnaissant de lui avoir causé cette émotion.

On vit aussi Thérésa. Elle chantait *Quand les
canards... s'en vont par deux...* ou *la Femme à barbe,*
ou *la Patrouille au milieu de « la Corbeille »,* c'est-à-
dire du groupe des femmes assises en cercle autour
d'elle et qui attendaient leur tour de chant, un bouquet
sur les genoux en lançant des œillades dans la salle.
C'était la grande cantatrice Delna qui interprétait le
rôle de Thérésa grâce à sa voix barytonnante qu'elle
rendait tour à tour dramatique ou comique.

C'est là qu'on vit reparaître Yvette Guilbert. J'avais
eu beaucoup de mal à décider la grande artiste à remon-
ter sur le tréteau. Elle s'était fait prier. J'avais dû, pour
toucher son cœur et son amour-propre, employer tous
les arguments. Elle fut sensible à ceux qui sonnaient le
plus fort et elle accepta de redire ses anciens succès,
malgré la prédilection qu'elle avait pour la poésie médié-
vale, à l'étude de laquelle elle s'était consacrée.

On réentendit les scies de Xanrof, puis *la Soularde,
le Fiacre* et les œuvres de jeunesse de Maurice Donnay.

Il était triste et maigrelet
Ayant sucé le lait maigre
D'une nourrice chlorotique

J'avais fait venir sur la scène une fausse Yvette Guilbert, qui l'imitait assez mal. C'est alors qu'on voyait la vraie se lever dans la salle, en lui disant : « Ah non, mademoiselle, c'est très gentil votre imitation, mais ça n'est pas exact. Voilà à peu près comment chantait Yvette Guilbert à cette époque. » Et elle commençait son numéro, au milieu d'une véritable ovation. Le public ne pouvait s'arracher à son propre enthousiasme, et c'étaient chaque soir des rappels sans nombre et des « encore » interminables.

J'exhumai aussi le vieux Bruant, qui devint mon ami. J'étais allé le chercher à Courtenay, dans sa retraite. Il possédait là une jolie maison à flanc de coteau, où il vivait avec sa femme qui était Tarquini d'Or, célèbre en son temps, et qui a toujours conservé la voix de ses beaux jours, bien qu'elle l'ait partagée avec son fils. Je n'étais jamais allé chez lui, j'avais des indications assez vagues sur l'endroit qu'il habitait, mais avant d'arriver à Courtenay, j'aperçus des chemises rouges et des écharpes qui séchaient sur un balcon. « C'est là ! », m'écriai-je. Je ne me trompais pas. Bruant m'accueillit avec gêne ; il ne s'attendait pas à ma proposition et la repoussa. L'assurance d'un beau cachet ne l'atteignit pas. Il fallut le doubler. Encore, n'emportais-je qu'une demi-certitude, mais je comptais sur l'intervention de Tarquini d'Or, qui avait envie de revoir Paris et d'assister à la renaissance de son idiot. Elle eut lieu tous les soirs comme les couchers du soleil. Bruant paraissait dans le costume traditionnel qu'il a créé, tout en velours noir, avec des bottes noires, une chemise et un cache-nez rouges et un immense chapeau noir à la Rembrandt. Cet ensemble lui communiquait un caractère farouche et grave, qui était celui de ses chansons. Il disait d'une voix qui n'avait pas faibli des choses que tout le monde avait apprises par cœur, depuis son éloignement de la scène *A Montparnasse, A Belleville, le Côtier* et *J'vends mon crayon pour un sou.* Cette reconstitution donnait à réfléchir à beaucoup de gens, qui avaient considéré légèrement le passage de Bruant dans le cadre parisien et qui ont découvert sur le tard que son œuvre contenait des beautés solides, et méritait plus de considération. Je restai l'ami de Bruant, qui était à la fois un grand poète et un bon vivant, un brave homme dans toute l'acception du mot et qui riait encore d'avoir pu faire peur au public et engueuler les bourgeois sans se gêner, dans sa jeunesse, en les faisant payer pour cela, ces bourgeois dont il était devenu un exemplaire.

Nous dînions quelquefois, dans un petit cabaret à Montmartre, avec quelques-uns de ses amis et nous montions à pied au fameux bouge du *Lapin agile* où Bruant était naturellement fêté par le patron, Frédéric, comme par ses habitués. Malgré l'obscurité, qui est de tradition dans ce château de la misère, on ne tardait pas à reconnaître le grand chansonnier, et on lui demandait toujours de se faire entendre. Il était heureux de se faire prier et de retrouver dans le décor familier de ce repaire innocent devant ce public populaire de connaisseurs, l'admiration qu'il avait toujours provoquée.

On donnait aussi à *l'Oasis* chaque semaine des fêtes dont les prétextes variaient. Un jour, c'était une fête de la vénerie française, où tous les invités étaient conviés en costume de chasse. Des piqueurs en livrée mettaient leur tache rouge dans la verdure des arbres et des parterres. M. Boni de Castellane m'avait fait décorer tout un parterre de petites lampes vert foncé qui clignotaient tout autour des arabesques de buis taillés et qui dessinaient les boulingrins. Au milieu de ce décor, un cerf véritable était suspendu sur des faisceaux de branches. Une meute de chiens paraissait avec ses piqueurs. On sonnait la curée, et le premier piqueur de la duchesse d'Uzès, qui m'avait prêté son concours pour la circonstance, servait la bête. On fit les honneurs du pied à l'ambassadrice d'Angleterre. Cette solennité campagnarde, au cœur de Paris et à deux pas des Champs-Elysées, n'était-elle pas un régal imprévu ?

Un autre jour, la fête s'intitulait : « Le Ventre de Paris », tous les convives en smoking étaient recouverts d'une blouse à l'entrée et d'un bonnet de paysan ou d'un chapeau de fort de la halle, et le décor était celui d'un marché de village sur la place de la Mairie. Les voitures qui descendaient des Champs-Elysées pleines de carottes, de navets et de choux-fleurs, venaient faire un crochet dans le jardin, et on s'arrachait les légumes qu'on partageait entre les belles pratiques après leur avoir distribué des filets à provisions. Tout le monde partit avec son pot-au-feu. Il y avait un marchand de pommes de terre frites en plein air. Il ne chômait pas et répandait une odeur *sui generis* qui complétait le spectacle.

La fête des Nouveaux Riches obtint aussi un gros succès. Toutes les femmes devaient y assister, vêtues d'argent ou d'or. C'était de rigueur. Des louis d'or et des thumes (pièces de cinq francs) étaient à profusion jetés sur les tables des consommateurs ; la pluie d'or d'un feu d'artifice inonda la scène. On distribua des douzaines d'huîtres, à l'intérieur desquelles se trouvaient des colliers de perles. Le prétexte de cette réunion était d'autant plus piquant que c'était précisément l'époque d'une gêne financière générale et que les Nouveaux Riches étaient menacés de se voir prochainement devenir de Nouveaux Pauvres.

Il y eut aussi la fête au Clair de lune, où toutes les femmes devinrent, grâce aux colifichets artificiels qui leur étaient distribués, boas de plumes, résilles de perles et de diamants, croissants de Phœbé, et poudre blanche, de charmantes Colombines, tandis que les hommes portaient sur le tuxedo la grande collerette de mousseline et le chapeau enfariné de Pierrot. Un prince arabe au teint sombre fourvoyé là avait la gaieté pensive de Pierrot et la mélancolie d'une vierge noire.

Tout le jardin avait été tendu de fils de la Vierge, et des lames d'argent tombaient du ciel comme une impalpable pluie, dans une lumière bleue enveloppante et tendre.

Naturellement, les invités ne pouvaient s'arracher aux charmes de l'endroit et comprenaient difficilement qu'on dût s'en aller à deux heures du matin. J'eus maille à partir avec la police, qui me créa mille difficultés d'exploitation et ajouta ses tracasseries aux dangers mêmes de l'entreprise. *L'Oasis* fut un fiasco qui ne dura qu'une saison mais où je laissai pourtant la moitié d'un million. C'était ma faute. J'aurais dû me douter qu'à cette époque de l'année, il n'y a pas assez de Parisiens pour faire vivre et prospérer une pareille initiative. Quant aux étrangers qui composent aux mois de juillet et d'août la clientèle parisienne, ils ne pouvaient comprendre le charme des reconstitutions auxquelles je m'étais attaché. Paulus, Thérésa, cela ne leur disait rien. Fauchois était, pour ce public profane, un inconnu et le bal Mabille évoqué par des danseuses qui ne montraient pas leurs jambes nues n'avait aucun intérêt.

A la fin du spectacle, on voyait l'impératrice Eugénie, entourée de ses dames d'honneur, s'asseoir dans le parc avec leurs immenses crinolines, leurs grands chapeaux et leurs anglaises tombant sur leurs épaules. C'était la reproduction du grand tableau de Winterhalter que tous les artistes connaissent et aiment. Tandis qu'une partie de la salle était debout pour acclamer cette vision d'histoire, les Américains s'en allaient, indifférents à l'impératrice et à Winterhalter, pressés de regagner leurs palaces cosmopolites, ou de gambiller dans les dancings à la mode.

Quelle amertume !

XVII

EN AMÉRIQUE

J'ai fait plusieurs voyages en Amérique, et il m'en
est resté des observations que je voudrais publier, mais
je crains de chatouiller l'amour-propre des Américains
qui est, comme tout ce qui les concerne, le plus grand
du monde. Combien de voyageurs se sont privés de
dire leur opinion, sachant qu'il n'y a place dans ce
grand pays que pour l'éloge superlatif et le dithyrambe.
La critique, même légère, la restriction, même délicate,
y sont à peine tolérées. Je commence donc par m'excuser auprès des Américains et des Américaines des petites
égratignures que leur causeront ces pages. S'ils se sentent
trop susceptibles, qu'ils ne les lisent pas. N'y entrez pas.
C'est un buisson d'épines ! On y trouvera pourtant aussi
la saveur des fruits sauvages, car je parle avec naturel
et ne me priverai pas de dire l'admiration que m'inspirent
certains aspects de l'Amérique. Les flèches que je peux
leur décocher portent en elles-mêmes le baume qui guérit
les blessures qu'elles ouvrent, parce qu'elles sont celles
d'un ami loyal, qui ne cherche pas à leur faire du mal
ou de la peine, mais à leur signaler discrètement des
travers, dont ils peuvent rire avec moi, — et d'ailleurs
un couturier ne saurait donner que des coups d'épingles.

Allons-y !

Je signalerai d'abord que je fus le premier couturier parisien qui s'embarqua pour l'Amérique. Cela n'étonnera personne. Je ne savais pas bien au juste ce que j'allais faire là-bas, mais j'avais envie de connaître cette nation qui me paraissait nerveuse, énergique et toujours en gestation. Ce que je voyais des Américains à Paris ne me permettait pas de me faire une idée juste de ce qu'ils étaient chez eux. Je partis par un matin d'octobre. Au moment où je montais dans le train, on m'apporta un exemplaire du *New York Herald,* où était publiée une lettre, ou plutôt un mandement de S. E. le cardinal Farley, directeur de la conscience catholique américaine, document par lequel ce grand prélat mettait en garde toutes ses fidèles contre le démon de la Mode, qui constituait un danger social et moral par la liberté, la licence, l'esprit de provocation des créations de la couture de cette époque.

Je me sentis touché, car je me considérais comme le principal représentant de la mode moderne, ou du moins le plus voyant, mais je savais aussi que mes robes étaient les plus chastes. A peine commençais-je alors à faire des jupes plus courtes, qui s'arrêtaient au-dessus de la cheville. J'avais du reste emporté avec moi un film cinématographique représentant le défilé de mes mannequins dans mon jardin avec des robes courtes.

Lorsque j'arrivai de l'autre côté de l'océan, avant de toucher terre, je fus naturellement entouré par une armée de photographes et de journalistes qui m'assaillirent comme des moustiques. Je n'avais jamais rencontré une pareille vague de curiosité et d'indiscrétion. On me traquait dans tous les coins du paquebot et je partageais cet honneur avec Polaire, l'artiste bien connue qui passa en Amérique pour la femme la plus laide du monde (car c'est ainsi que son manager avait organisé sa publicité). Un interviewer plus adroit et plus dangereux que ses collègues me demanda ce que je pensais de la lettre du cardinal Farley. Je pris mille précautions oratoires pour lui répondre, car je vis le piège :

« Monseigneur le cardinal a raison, dis-je, et les toilettes des femmes peuvent être belles sans éveiller la concupiscence. On fait aujourd'hui des décolletés outrageants, que les gens de goût réprouvent, car la première qualité d'une femme élégante est d'avoir du tact et de la mesure. La couture française se réjouit de trouver l'écho des principes qu'elle a toujours professés dans les paroles distinguées d'un prélat aussi autorisé que Monseigneur le cardinal Farley. Il n'y a d'ailleurs rien à craindre, car les femmes ont au fond une solide vertu chrétienne dont Monseigneur doit connaître le degré de résistance, et si on opposait jamais la morale et la coquetterie il y a gros à parier que la coquetterie serait battue, n'est-ce pas ? Mais je suis sûr que le cardinal n'a pas cherché à les opposer ».

Quelques jours après, j'apprenais que mon film, laissé pour examen aux bureaux de la Douane, avait été interdit par la censure comme obscène. Je l'ai bien souvent déroulé depuis, et chaque fois je me suis demandé ce qui avait bien pu mériter cette rigueur et choquer les censeurs dans ce document de l'histoire de la mode ; si c'étaient les jupes courtes, il faut avouer que les Américaines ont depuis beaucoup dépassé mes espérances dans la manière dont elles les ont adoptées. Je ne comprends pas leur habitude de résister aussi ouvertement à toutes les suggestions de la mode pour en être aussi aveuglément esclaves, et s'y cramponner aussi furieusement, après un certain temps, comme si toute formule nouvelle constituait un schisme et une injure à l'ordre existant.

Il y a longtemps que nous avons admis en Europe l'instabilité des modes et des femmes. Nous savons que ce qui est un costume de rigueur aujourd'hui sera un déguisement dans vingt ans, et que nous considérons aujourd'hui comme ridicules ou protesques les redingotes de nos aïeux. Seuls, les militaires échappent à cette loi de nature, en raison du caractère auguste et vénéré de leurs fonctions. On a pu exhiber dans une revue militaire officielle, à Paris, des uniformes d'il y a cent ans sans qu'ils fussent considérés comme des costumes d'opérette, mais si on les eût accompagnés de costumes civils, l'éclat de rire du public eût été aussi grand que fut son recueillement.

Il ne faut pas s'imaginer que chaque mode nouvelle est la consécration d'un type définitif de vêtement, qui doit remplacer pour toujours celui qu'on abandonne. C'est simplement une variante. En ce qui concerne plus particulièrement la couture, c'est une nouvelle expression esthétique tendant à mettre en valeur les charmes de la femme, qui n'avaient pas été soulignés dans la version précédente. Il y a en effet des époques qui oublient de montrer les cheveux, d'autres qui cachent les jambes, d'autres qui empâtent les bras et les avant-bras par des boursouflures. Rappelez-vous les manches à gigot et les manches sabots. N'est-il pas juste qu'on découvre tour à tour toutes les beautés de l'académie féminine, et qu'on prenne plaisir à les dessiner. N'oubliez pas que l'homme est le seul de tous les animaux qui ait inventé le vêtement. N'est-ce pas sa punition d'être obligé d'en changer continuellement et de ne jamais s'immobiliser dans une même formule ? C'est le Juif errant de la fantaisie obligatoire.

Un couturier créateur est habitué à prévoir et doit deviner les tendances qui inspireront les époques prochaines. Il est préparé bien avant les femmes elles-mêmes à accepter les accidents et les rencontres qu'on fait sur la trajectoire de l'évolution et c'est pourquoi il ne peut pas admettre que les femmes résistent, dans les Women's Clubs, par des tracts, des conférences, par des meetings et des protestations de toutes sortes, à ce qui lui semble logique, inéluctable et déjà certain.

Je me rappelle la curiosité que souleva ma femme sur le bateau, quand par un jour de pluie, elle parut avec des bottes en cuir de Russie. Les bottes ne sont-elles pas une chaussure confortable pour les hommes ? Pourquoi alors les femmes n'en porteraient-elles pas, et pourquoi ne les feraient-elles pas jaunes ou rouges pour que ce soit plus élégant ? Rien n'arrête l'esprit, dans la logique de ce raisonnement. Il faut être buté dans l'erreur, pour ne pas admettre cette possibilité. Et pourtant, tout le monde parla des bottes de Mme Poiret... Et des photographes accompagnés de journalistes vinrent à l'hôtel Plaza, où j'étais descendu, pour photographier cette nouveauté imprévue et outrecuidante. On me considérait comme le plus audacieux des couturiers de Paris, mais on ne s'était pas attendu à ça.

Deux heures après notre arrivée, comme je me mettais à table au Plaza, je trouvai à ma place le journal qui reproduisait la photographie des bottes aux pieds de ma femme. Je devenais l'homme du jour de New York. On me téléphonait la nuit pour connaître la couleur de mon pyjama. Et j'allais être en butte à cette curiosité, heureusement pas longtemps, car cette faveur ne dure que huit jours, jusqu'à l'arrivée du prochain paquebot, qui apporte au « Pier » une nouvelle vague de vedettes. Il faut même se dépêcher de dire ce qu'on a à dire aux journaux pendant la première semaine de séjour, car après cela, si on veut seulement redresser un faux bruit ou rectifier une information inexacte, on a l'air d'une vieille lune et on n'est plus écouté.

Je m'étais décidé à venir à New York sur les instances de M. Kurzmann, couturier de Cinquième Avenue, qui me cueillit au bateau et me manifesta de suite l'intention de m'étreindre et de me canaliser partout. Il me portait comme une bannière, se drapait dans ma dignité et me rendait la vie impossible en m'accaparant. J'étais obligé de tromper sa vigilance et de m'échapper de l'hôtel avant l'heure où il me guettait. Je me promenais seul dans les avenues où fourmille ce peuple que je voulais pénétrer. J'entrai dans une boutique, où je retournai par hasard un chapeau de femme qui me paraissait joli pour en connaître l'origine et j'eus la satisfaction d'y lire mon nom ; mais il y avait tout autour d'autres chapeaux très ordinaires, et beaucoup

d'autres absolument affreux. Tous portaient l'étiquette
« Poiret ». Je regardai des robes, qui étaient pendues
sur des portemanteaux. J'aurais pu me croire chez moi
si les modèles n'avaient pas été aussi pauvres, car tout
était marqué à mon nom. Je tâchai d'intéresser à mon
cas un avocat qui me conduisit chez un attorney, puis
chez un attorney général de district (je ne sais pas si
les titres sont exacts), mais il me fut dit en substance
que ce procédé commercial n'était pas réprimé par la
loi américaine et que d'ailleurs il ne pouvait que con-
tribuer à l'éclat de mon nom en le répandant dans les
Etats lointains de Wisconsin, de Connecticut, etc.

Je ne suis pas encore consolé de tout ce que j'ai vu
dans ce genre à New York et ailleurs. Je ne peux pas
m'étendre ici sur la question de la contrefaçon qui
est passée dans les mœurs et devenue un usage invétéré.
Je ne vois pas comment on éduquera la masse des
travailleurs américains qui refusent d'admettre la propriété artistique et qui n'a pas encore atteint le niveau
moral nécessaire pour comprendre que copier c'est voler.
Ma première expérience de l'Amérique me montra donc
un certain côté déloyal du commerce, qui est peut-être
particulier à la couture mais qui méritait d'être signalé.
En rentrant en France, je créai « le Comité de défense
de la grande couture » qui ralliait tous mes collègues,
scandalisés de mes rapports. La suite des faits a bien
prouvé qu'il n'était pas superflu d'organiser des barrages
à la contrefaçon. Le pillage des idées et la mise à sac
des ateliers de création sont les méthodes actuelles des
acheteurs américains qui ont stérilisé le marché et qui
ont plongé la mode française dans un état de prostration
et de marasme dont elle ne se relèvera peut-être jamais.

Ce que les commerçants américains m'ont paru
pratiquer aussi, c'est cette habitude d'envelopper une
marchandise médiocre sous une étiquette de choix.
Dans ce pays, on aime les marques, et comme on ne
connaît pas la valeur des objets, on ne tient compte
que de la marque. Vendre des marchandises ordinaires

qui portent le nom de Poiret leur paraît être une idée géniale et une combinaison très heureuse. Jeunes commerçants français qui irez en Amérique (il faut y aller) ne confiez jamais votre drapeau à personne et méfiez-vous.

Je ne m'attarderai pas à décrire mes étonnements devant toutes les choses que je voyais et qu'on révélait à mes yeux avec une légitime coquetterie : la vie des grands journaux, l'usine où s'imprime le *New York Herald,* qui paraît sur cent pages le dimanche et sur trente ou quarante pages tous les jours, avec vingt-deux éditions par jour (ce chiffre probablement a été dépassé depuis mon premier voyage et paraîtrait désuet aujourd'hui). Je ne dirai pas davantage mon admiration pour les magasins que j'ai visités, leur organisation théorique si proche de la perfection, par exemple Wanamaker, qui fait un chiffre colossal d'affaires sans qu'on voie chez lui une seule cliente, ses galeries immenses pleines de marchandises, actives et désertes comme les chutes du Niagara. C'est chez Wanamaker que je fis une conférence, à l'occasion d'un défilé solennel de mes robes, dans le grand théâtre de la maison, célèbre par son orgue qui est le plus grand du monde. L'organiste qui fait mugir cet instrument titanique était lui-même le plus vieux du monde, à moins qu'il n'ait eu quelque autre superlatif dont je ne me souviens plus.

Cette solennité à laquelle assistait tout le gratin de New York fut pour moi un véritable jubilé. Quelques jours après, je renouvelai la cérémonie à Philadelphie, chez John Wanamaker, créateur de la firme. Cette grande figure du commerce américain qui, au cours d'une réception intime, me présenta les grands chefs peaux-rouges en costumes de grand apparat, m'expliqua qu'ils étaient les plus anciens représentants de la vieille Amérique, tandis que j'étais le plus jeune représentant de la nouvelle Europe. Puis, il me fit voir un tableau désolant qui était, comme par hasard, le plus grand du monde, et qui occupait quatre murs d'une

immense pièce. Je crois me rappeler que cela représentait le Golgotha. Croyez que j'ai apprécié comme il
convient l'honneur que me faisait le vieux Wanamaker,
gloire des novateurs de son pays, en se penchant vers
ma jeune réputation et en faisant jouer la *Marseillaise*
sous chacun de mes pas. Il serait superflu de dire combien il était au courant de tout, et jetait à tout moment
des regards et des ponts vers l'Europe dont il assimilait
tous les progrès et tous les arts. On sait qu'empêché de
venir au Salon annuel de peinture et de sculpture, il
se faisait envoyer de Paris les catalogues qu'il lisait
avidement en marquant de son crayon rouge les titres
des tableaux qu'il voulait acheter : *Retour du lavoir,
En classe, Coucher de soleil, Bruyères dans la Creuse*,
etc.

La plupart des Américains professent une complète
ignorance des beaux-arts. A Philadelphie, j'ai des amis
qui sont des amateurs éclairés et des connaisseurs de
la peinture moderne, M. et Mme Speiser, et il y a d'autres
collectionneurs puissants et réputés dont je ne saurais
oublier l'accueil, ainsi M. Widener dont les salons abri-
tent et conservent comme des tabernacles les merveilles
les plus rares du monde entier. Je ne manquerai pas de
signaler aussi la collection Barnes, qui est le plus beau
monument de piété, le plus bel autel qu'on ait élevé à
l'art contemporain. Mais à part un petit nombre d'initiés
et de monomanes, il semble bien que le gros public se
désintéresse de toutes les expressions de la beauté. Il
semble surtout qu'il puisse s'en passer sans aucune gêne.
Il n'a pas plus besoin de statues dans ses jardins que de
tableaux sur ses murs, ni de miroirs dans ses maisons.
Pour moi, qui habite un pays où il y a des glaces jusque
dans la rue et entre les boutiques, cela me semble extra-
ordinaire : Où peut-on s'analyser et contrôler sa tenue
et son aspect si on n'a pas ces témoins constants que
sont les miroirs ?

Je me suis souvent demandé d'où venait cette indifférence à ce qui fait le charme, le décor et la distraction

de la vie. Je crois que l'Américain n'a pas le temps de se consacrer aux beaux-arts ni aux choses aimables, sa seule préoccupation étant de travailler à faire fortune. L'argent. C'est le mobile et le potentiel de toute chose pour lui. La fiction et la convention d'une œuvre d'art ne le touchent pas, ne l'intéressent pas. Il veut du pratique et du positif, et n'a de goût que pour le théâtre ou mieux, pour le cinéma, à la condition qu'il ne soit ni littéraire ni poétique, et qu'il représente des choses de la vie. Ce qui est attrayant dans les tableaux, c'est le prix auquel on peut les acheter et les revendre. En dehors de leur valeur spéculative, on ne les considère jamais, sauf à l'étranger, quand on y va en touriste, et qu'il faut bien tuer le temps. Cette désaffection pour les choses de l'art me paraît très grave et très fâcheuse. Ils ont pris l'habitude de dire : « Nous sommes un peuple jeune. Nous avons seulement deux cents ans d'existence, et la culture artistique commence à germer dans certaines couches de la société, vous allez voir bientôt. Attendez. »

Attendre quoi ?

Les Phocéens, les Phéniciens, ont-ils attendu pour tourner en terre ou souffler en verre la chanson de leurs cœurs, pour semer des temples dans la campagne, et exprimer par le travail de la matière leur prière et leur émotion devant la nature ? La vérité est qu'il n'y a pas encore en Amérique d'émotion devant la nature, pas de sensibilité, pas de chanson nationale, pas de folklore et que tout y est, aujourd'hui comme autrefois, emprunté à l'étranger ; après deux cents ans d'existence, il n'y a pas d'apport de l'Amérique à l'art du monde.

Dans tous les pays où je suis allé, j'ai été accueilli par une élite intellectuelle d'écrivains, de peintres, de sculpteurs ou de musiciens indigènes. En Amérique, je n'ai vu personne. Si, pardon. Un soir, quelques décorateurs et architectes m'ont invité chez eux. Ils donnaient une « party ». On se costumait. J'avais dans mes bagages de quoi improviser un costume de fantai-

sie. Je m'y rendis, on faisait de la musique, de la photographie et on dansait. Mais c'étaient des Allemands qui,
se sentant isolés comme moi à New York, tuaient leur
nostalgie.

Que dire des nuits accablantes de Noël et du Jour
de l'An où on visite les salons pleins de ténèbres
et de mystère, sans entendre l'esprit, la joie d'une chanson, la fraîcheur d'un couplet, mais les interminables
pleuraillleries d'Al Jolson ?

« Mais le jazz ? » me dira un honorable contradicteur que je connais bien.

Je l'arrête d'un geste et d'un regard.

« Le jazz n'est pas américain, puisqu'il est nègre. »

« Mais les gratte-ciel, me dira-t-il, et le pont de
Brooklyn ? »

« Merci, vous me fournissez une réplique : le pont
de Brooklyn ne comporte aucun détail artistique. Un
architecte de chez nous aurait songé à un détail inutile,
qui aurait été mis là pour le plaisir et l'agrément décoratif — songez au zouave du pont de l'Alma, à Sainte-
Geneviève de la Tournelle.

Mais, qu'est-ce que l'agrément pour un Américain ?
Tout est utilité ou nécessité ! Ils ne savent pas inventer
le superflu, ce superflu qui pour nous est plus indispensable que le nécessaire.

Les Américains créent dans un paysage dont les
dimensions sont exceptionnellement grandes. On ne
peut pas s'étonner de ce que leurs conceptions soient
plus vastes et plus monumentales que les nôtres. Quand
ils enjambent le Mississippi ou le Colorado, ils ne peuvent construire que d'immenses viaducs, et ne sont
guidés que par la nécessité d'atteindre leur but qui est
de mettre deux rivages en communication. Ils ne se
laisseront pas distraire de cette perspective par le
souci décoratif. Est-ce que les castors embellissent leurs
écluses ? Le style des gratte-ciel a été créé par des
nécessités d'ordre social qui veulent qu'un petit carré
de terrain rapporte beaucoup d'argent, et il faut bien

alors le construire en hauteur et par de prévoyants règlements de police empêcher toute saillie sur la rue, toute corniche, tout chambranle, etc., en somme tout ce qui n'a pas de nécessité positive. C'est la prohibition même de l'art décoratif.

Puisque nous avons prononcé le grand mot de prohibition, permettez-moi d'ajouter que je rends aussi cette mesure responsable du défaut d'art en Amérique. Il y a chez nous un élément qui fait les poètes et stimule tous les artistes : c'est le vin. Ils ont voulu le supprimer, ils verront ce que cela donne. Que seraient Villon, Rabelais, Musset, Verlaine et Baudelaire sans le vin et sans l'alcool ? Et ce n'est pas seulement celui qu'ils ont bu qui les a enrichis, éclairés et inspirés, c'est celui que buvaient les générations dont ils sont issus. La contrainte que les Américains se sont imposée peut avoir de bons résultats pour le sport et les affaires, mais ne saurait augmenter le nombre des poètes, des musiciens ou des peintres.

« Au point de vue sport, me dira l'honorable contradicteur, la race américaine a beaucoup gagné. » Soit. Je me déclare d'accord. Mais le sport n'est-il pas peu propre à développer l'esprit artistique ? Il donne des facilités de travail, un équilibre mental primaire ; peut-être facilite-t-il le jeu des facultés ; en tout cas, il ne favorise pas celui de la sensibilité, puisqu'il la discipline et la réglemente. Toute l'éducation des Américains, sportive et intellectuelle, m'a paru tendre au contrôle et à l'oppression de cette sensibilité. Je sais bien que la grande quantité de population qu'il faut régir et gouverner, les masses qu'il faut diriger, imposent au gouvernement des méthodes simples et élémentaires d'instruction et d'éducation et qu'il est impossible de tolérer, dans un pays de 120 millions d'habitants, des licences ou des habitudes de liberté qui aboutiraient au désordre ou à la perversité. Un pays de quarante-sept Etats ne se manœuvre pas comme l'île de Tahiti, ni même comme notre petit pays de France. Il faut donc canaliser sa population dans des voies toutes droites et perpendiculaires, comme les routes de là-bas et l'exempter de tous les risques de rencontres ou d'accidents. C'est plus sage — mais qu'on ne vienne pas me dire alors qu'on attend de l'avenir une génération d'esthètes et d'amateurs d'art. On ne s'y prépare guère. Il n'y a personne dans les musées, sauf le dimanche matin quelques familles nombreuses. Bien mieux, il y a des musées que personne ne connaît et si des mécènes milliardaires trouvent dans leur construction une satisfaction et le moyen d'honorer la ville qui les a vus naître, ils sont très déçus par le manque d'empressement du public. A New York j'ai demandé vingt fois, dans toutes les classes de la société, l'adresse d'un musée ethnographique qu'on n'a pas su m'indiquer. Je l'ai découvert tout en haut de Broadway et je n'y ai trouvé personne. On préfère décidément le base-ball.

Quand on pénètre dans un musée, il faut encore avoir une tournure d'esprit qui permette de s'intéresser à ce qu'on voit, de retenir et de classer ses souvenirs. Or, j'ai l'impression que les acquisitions du regard, en Amérique, ne s'agglomèrent pas sur une bobine bien active, parce que j'ai observé beaucoup de personnes qui s'en tiennent à une réceptivité superficielle et qui ne cherchent pas à jouir de leurs sensations.

Les professeurs des Ecoles d'art, partout où je suis allé, m'ont paru des personnes infiniment distinguées, recrutées dans les milieux européens qui ne sont pas toujours les plus aptes à développer l'âme de leurs élèves. Le protestantisme allemand, célèbre par ses vertus, n'a pas celle de développer le goût des arts. Il faut que je raconte cette visite à Indianapolis où je faisais une conférence devant une assistance de plus de trois milles élèves qui se préparaient à la carrière des beaux-arts. Je fus très solennellement reçu par la directrice à cheveux blancs et à lunettes d'or, selon le type consacré, le coude droit dans la main gauche et le doigt sur la tempe. Elle insista beaucoup pour que je

visse les tapisseries de l'école, tellement que je m'en
faisais une fête et que je pensais y goûter quelque régal
de l'esprit. Je ne vis que de sombres tapis de table
et notamment celui qui est universellement connu et qui
représente l'*Angelus* de Millet.

Si je manque de galanterie, c'est pour être plus exact,
mais croyez bien que je ne mets aucune méchanceté
à raconter ces traits, qui dessinent, je l'espère, la
silhouette du peuple américain.

Je veux dire aussi mes rencontres avec divers personnages, par exemple ce M..., qui s'intitulait « le roi
de la Blouse » et qui, flatté d'être en rapport avec moi,
m'offrit un monceau d'or pour recevoir de moi une
lettre mensuelle par laquelle je le renseignerais sur les
tendances de la blouse à Paris.

Cette propension de tous les industriels à entrer en
contact avec les hommes célèbres pour pouvoir s'appro-
prier leurs noms et en tirer parti est une caractéristique
américaine. Combien d'entre eux m'ont proposé des
marchés merveilleux pour pouvoir donner le nom de
Poiret à leurs marchandises ? Un d'entre eux, un
Anglais, établi fabricant de chaussures, aux environs
de Lancaster, je crois, me fit un jour une proposition
magnifique.

Il serait autorisé à se servir de mon nom dans sa
publicité et à l'imprimer sur ses modèles de luxe,
moyennant quoi il me donnerait 16 000 dollars par
an. Je ne pouvais accepter le marché sans voir de quel
genre d'articles il s'agissait. Je prends le train pour
New York avec mon manager qui m'avait mis en
contact avec ce puissant industriel. Nous arrivons à
X... où j'étais attendu comme un monarque par des
envoyés spéciaux et des Rolls-Royce. Après les cérémonies d'usage, je commence la visite de l'usine, qui
dure plusieurs heures. J'examine les chaussures qui
étaient destinées à une clientèle de fermiers — solides
bottines de fatigue pour les cultivateurs et leurs familles.
Je me demandais comment l'apport de mon nom pouvait

être de quelque intérêt sur ce genre de produits. Je
rentrai dans le bureau de mon industriel qui m'attendait au milieu de ses chefs de services. Il avait un costume à grands carreaux et de la pochette de son veston
émergeait un bouquet de gros cigares, je lui dis :

— Vous pouvez me donner un de vos beaux cigares,
car je viens de vous sauver 16 000 dollars.

— Ah ! Bah ! Comment cela ?

— En vous refusant l'autorisation que vous me demandez de mettre mon nom sur vos chaussures. Cela
nuirait à ma réputation et ne pourrait pas être utile à
la vôtre.

Il fallait voir la figure des chefs de service devant
un homme qui refusait, d'un seul geste, 16 000 dollars
par an...

Au retour. une surprise m'attendait. Mon manager,
qui ne pouvait se consoler de ma libérale franchise
et qui n'admettait pas mon désintéressement, me réclama les 25 % que je lui devais sur le contrat qui
n'avait pas été passé par ma faute et je dus les lui
donner, tous les Américains consultés sur ce sujet ayant
approuvé sa manière de voir.

Je fis pourtant des contrats avec des manufactures
qui fabriquaient, soit des bas, soit des sacs de dames,
soit des gants et notamment — vous allez rire — des
gants de fil. On m'avait demandé de remettre à la mode
cet article désuet. Je réfléchis longuement, et je trouvai
certains dessins qui permettraient de rendre de l'intérêt
aux gants de fil en les modifiant légèrement, mais ces
modèles ne furent jamais édictés ! J'en reçus le prix
intégral mais, à mon étonnement, on me fit savoir qu'on
n'avait pas compris les dessins, qu'on se demandait
ce que cela pouvait donner et qu'on ne savait pas ce
que signifiaient certains traits de plume ou de crayon ?
C'est un peu comme si on m'avait écrit : « Nous ne
savons pas lire. » Mais on ne m'avait pas écrit, car
les commerçants américains n'écrivent jamais.

J'avais aussi un contrat pour des sacs de dame avec

une grande firme qui ne tint pas ses engagements, sous
prétexte qu'elle ne comprenait pas mes dessins. Il faut
qu'un Américain voie un article fabriqué, complet,
définitif et qu'il puisse le copier servilement. Leur
défaut absolu d'imagination les empêche d'admettre
l'imprévu et l'hypothèse. Comme saint Thomas, ils ne
croient qu'à ce qu'ils ont vu. Cela doit les gêner en
science et en art, car cela restreint le champ de leur
activité aux données de l'expérience.

Sachant leur inaptitude à imaginer, j'ai pensé à illustrer mes conférences par des démonstrations pratiques
et c'est ainsi que je fus amené à créer des robes sur
la scène, pendant mon dernier voyage. Je parlais d'abord
de l'élégance, et je tâchais de faire saliver mon auditoire en éveillant chez lui le goût des nouveautés et des
richesses. Puis, saisissant mes ciseaux dans ma poche,
je déroulais des velours multicolores, dont j'étais entouré, et je demandais dans l'assistance une femme qui
voulût bien se prêter à ma démonstration. Toute la
salle était debout. Et, après m'être livré à cette petite
expérience, je prenais un mannequin professionnel, qui
portait des dessous spéciaux dans l'intention de ne pas
choquer l'assistance, particulièrement susceptible sur ce
sujet, on le sait. Pendant quelques minutes je drapais,
je déchirais, je coupais, j'épinglais et on voyait naître
sous mes doigts de vieille fée, une robe du soir ou
un manteau. Je pouvais mesurer l'émotion du public par
les « Oh ! » et les « Ah ! » étouffés qui sortaient spontanément des poitrines, si je décidais de faire la manche
d'un autre ton au un retroussis imprévu et qui venait
à propos.

Pouvait-on démontrer de façon plus évidente que
les Français sont seuls capables d'imaginer avec fraîcheur et avec facilité ? Un jour, à San Diego, près de
Los Angeles, je reprochais à mon auditoire d'être habillé
selon un uniforme. « Regardez-vous, m'écriai-je, vous
avez toutes un bouquet de fleurs piqué au même endroit
dans votre fourrure. Si c'était un détail particulier et

personnel, cela pourrait avoir un charme, mais si c'est
une mesure générale, je ne le regarde plus ; cela me
tape sur les nerfs, au contraire. » Quand le spectacle fut
terminé, le public s'écoula et je restai en conversation
avec le directeur du théâtre. L'homme qui balayait la
salle vint me trouver et me présenta dans son tablier les
fleurs artificielles qu'il avait trouvées sous les fauteuils
et qui avaient été sacrifiées à mon despotisme.

J'ai compris ce jour-là le merveilleux esprit de discipline qui rend cette population gouvernable à souhait,
mais qui cause aussi son absolu défaut d'originalité.
Elle est composée de 120 millions de collégiens, qui
gardent toute leur vie leur esprit d'élèves devant ceux
qui savent quelque chose. Mais le danger est qu'ils
deviendraient facilement insupportables s'ils croyaient
un jour en savoir à leur tour plus long que le maître.
C'est ce qui est arrivé dans la couture parisienne, où ils
ont voulu imposer leur goût et substituer l'expérience
des acheteurs à l'invention des créateurs.

Un homme qui possède son métier et qui est passé
maître dans sa profession est cependant pour eux,
qu'il se serve d'un violon ou de ses ciseaux, une chose
qui leur en impose. Je me souviens de la sensation que
je créai, pendant mon second voyage en Amérique :
J'étais sur le pont de l'*Ile-de-France* avec quelques artistes qui se rendaient à Chicago. C'est là qu'on paye les
plus gros cachets à tous les Carusos du monde. Il y avait
de Luka, le major Formichi et Mme Grace Holst Olsen,
la grande cantatrice norvégienne qui me dit qu'elle avait
froid. Je lui offris d'aller chercher un de ses manteaux
dans sa cabine. Elle me répliqua qu'elle n'avait pas le
manteau confortable dont elle avait besoin. Alors, prenant d'une main mes ciseaux dans ma poche (je les ai
toujours sur moi) et de l'autre ma couverture de voyage,
qui était un joli plaid de Rodier, je la découpai et impro-
visai un manteau qui était exactement ce qu'elle sou-
haitait. Les assistants étaient dans l'enthousiasme. Un
d'eux dut télégraphier à New York et raconter ce qu'il

avait vu, car à notre arrivée, les journalistes me demandèrent de renouveler la mise en scène du manteau de Mme Olsen, pour illustrer les articles qui allaient paraître à ce sujet.

Pour les Américains, une petite histoire comme celle-ci a plus d'importance que toute une carrière dépensée au profit d'une belle cause, car ils sont puérils, badauds et croient tout ce qu'ils lisent dans leur journal. C'est d'ailleurs ce qui fait la force incalculable de la publicité là-bas, tandis qu'elle est à peu près nulle chez nous. Il manque aux Américains un esprit d'analyse et de critique qui foisonne sur le vieux continent.

Je ne voudrais pas me lancer dans une digression qui demanderait les développements de tout un livre, mais je crois que nous avons tort de juger les Américains par rapport à nous. Il y a des facteurs que nous ignorons. Ils ont leur élite de la pensée, qui n'a pas encore traversé les mers mais qui viendra peut-être un jour sur nos rivages. Des écrivains, comme Sherwood Anderson, Dreiser, Sinclair Lewis, ne tarderont pas à être connus chez nous. Mais il faut dire que la forme de notre enseignement ne nous rend pas toujours aptes à comprendre la masse de ce peuple. Au contraire, elle nous gêne et notre bagage de connaissances, de culture et de richesses nous encombre dès que nous sommes sur le bateau. Un primaire a beaucoup plus de chance de s'en tirer et de s'adapter vite à ce milieu nouveau. Il admirera sans réserve, sans restriction aucune, la ruée des foules au spectacle, le titanique effort de publicité que fait tous les soirs le commerce dans Broadway, la majesté des architectures cyclopéennes, couronnées la nuit de projecteurs, et quand il aura dit son dégoût et sa haine, que tout le monde partage, les abattoirs de Chicago, où se pratique l'assassinat en série, il se hâtera de reconnaître que ce crime quotidien nourrit un Gargantua aux 120 millions de bouches, déchaînées sur le même continent. Que serait notre effroi si Chicago cessait de nourrir ce géant, et si les 120 millions d'appétits américains se ruaient sur la surface du globe ? Ne souhaitez pas cela.

Je discutais ces points ces jours-ci avec un fin lettré, en parcourant avec lui les parterres de Versailles, dessinés par Le Nôtre. « Appréciez, lui disais-je, les bienfaits de l'Amérique. Ces jardins du XVII⁰ siècle ne sont-ils pas entretenus par les libéralités d'un Rockefeller ? » Mais mon partenaire irréductible (il y a parfois des Français têtus), ronchonna dans sa barbe : « *Timeo Dananos et dona ferentes.* »

Je voudrais dire encore quelques souvenirs de mon voyage en Amérique, conter de simples histoires qui sont caractéristiques et dont je ne chercherai à tirer aucune conclusion ; il vous appartiendra de le faire, conformément à votre nature.

J'ai assisté à Chicago à un combat de boxe. Quelle qualité d'assistance ! Où l'avait-on recrutée ce soir-là ? A toutes les places dont la moindre coûtait 5 dollars, il y avait des bouchers ou des journaliers d'une vulgarité et d'une bassesse inconcevables. Dans les stalles, on ne reconnaissait les richards qu'à leur chaîne de montre et à leurs épingles de cravate, à leurs bagues et quelquefois à leurs bracelets, car tous les spectateurs avaient les mêmes visages balafrés et recousus dans lesquels brillaient les mêmes yeux sauvages et frustes. Le sol était couvert de crachats et l'atmosphère empuantie de cigares. Des femmes se trouvaient mal à tous les étages, les huées, les sifflets et les cris se croisaient dans le brouillard blafard qui baignait le lamentable tableau de cette réjouissance. Je n'ai jamais vu d'aussi écœurant spectacle.

A New York, au Ritz Hôtel, on avait une année créé dans une cour un jardin japonais qui était devenu le rendez-vous du monde élégant. J'étais obligé de déjeuner là presque tous les jours parmi les snobs qui acceptent la mauvaise cuisine pourvu qu'elle soit servie dans un joli décor. Ce jardin japonais me parut le jardin de la sottise et de la prétention. Il y a plus d'esprit sur un éventail d'un sou, sur la moindre boîte de laque du Japon que dans cette cour pompeusement garnie de cèdres et de petits temples nains au milieu desquels courait une rivière artificielle que je m'imaginais alimentée par les baignoires de l'hôtel. Une Chinoise véritable vendait des cigarettes, un Chinois préparait le café sans sourire, mais peut-être pas sans souffrir de tant de niaiseries. Rien n'était plus drôle que la gravité du personnel et des clients qui en s'asseyant ou en servant dans ce décor, affectaient une certaine distinction et paraissaient s'associer à une haute manifestation d'art. J'observais tout cela, seul à ma petite table, en chipotant mon triste tournedos flanqué de deux énormes pommes de terre pas cuites.

Je sais bien qu'on peut déjeuner au « Speak easy », mais la cérémonie à laquelle il faut se livrer pour y être admis me dégoûte et me mortifie. On se fait d'abord conduire en taxi à l'adresse qu'un ami vous a donnée à voix basse, on descend quelques marches comme si on prenait l'entrée de service de la maison. Ce n'est pas la porte qui s'ouvre alors, mais un judas grillagé par lequel un chasseur ou le patron même de l'établissement vous examine et vous inspecte avant de vous demander qui vous êtes et qui vous envoie ? Quand vous avez décliné le nom de vos parrains, on vous accueille dans un sombre couloir où est le vestiaire. A droite ou à gauche, on entre dans la salle à manger qui est plus exactement un bar et vous commandez votre déjeuner composé de viande frigorifiée (comme partout) et de légumes à l'eau ; et comme vous êtes dans une maison qui prétend échapper à la prohibition vous demandez une bouteille de chablis que vous paierez dix dollars (250 francs). Aux tables voisines, des messieurs qui paraissent des habitués de l'endroit, se délectent de ce régime ; on me dit qu'ils sont de la police. A tout instant, je m'attends à ce que quelqu'un arrive

en criant : « Haut les mains ! » car il règne ici une
atmosphère obscure et louche incompatible avec le
nom de ces établissements « Speak easy ». Je respire
mieux dehors ; je m'en vais.

Je me trouvais à New York la nuit du 1ᵉʳ janvier,
je voulus offrir à dîner, dans mon hôtel (Sherry
Netherland), à quelques amis et rendre des politesses.
Comme Français j'aurais été heureux de voir à ma table
quelques bonnes bouteilles de vin précieux. J'en parlai
à voix basse au maître d'hôtel qui me proposa de m'apporter de chez lui quelques bouteilles de vin d'Asti,
qu'il avait pu avoir dans des conditions exceptionnelles.
Cette complicité de recel ne me parut pas acceptable.
Je confiai mon désir à un de mes convives du lendemain
qui m'offrit alors de me procurer trois bouteilles de
Paul Roger 1906 au prix de 300 francs l'une. Après
tout, c'était une fantaisie. Pourquoi pas ? Il me les
apporta le lendemain soir en venant souper et nous
nous réjouissions de notre fraude en les glissant dans
le Frigidaire. Mais à la fin du repas, quand je vis le
maître d'hôtel verser dans les verres une bibine rousse
et louche, je m'écriai : « Ne buvez pas cela, c'est du
poison » ; on m'apporta les bouteilles dont toutes les
étiquettes, cravate et col avaient été truquées. C'était un
faux Paul Roger que j'avais payé 300 francs la bouteille.
J'y trempai mes lèvres, il était imbuvable, mais les
Américains l'avalèrent en se déclarant très satisfaits
et je ne peux pas croire que c'était par politesse.

Me voyant seul à l'hôtel dans un si beau jour de
fête, mes amis m'offrirent de m'emmener faire, comme
c'est la coutume dans ce pays, ce jour-là, la tournée
nocturne de leurs relations. Dans chaque maison je
trouvai le même décor mystérieux, la même lumière
voilée d'abat-jour, et, dans la pénombre, des groupes
pressés d'hommes et de femmes, ces dernières riant à
grands éclats comme si les hommes avaient été drôles.
Tous buvaient des alcools inavouables, des coktails
inexplicables et il y avait au milieu de la pièce un

bassin contenant des cerises à l'eau-de-vie nageant dans une mixture coupable. Par moments tous les assistants se levaient et tournoyaient, boitillaient, enfin dansaient, et ils avaient l'air de prendre un énorme plaisir dans toutes ces réunions qui me parurent, à moi, insipides. Du reste, quand un Américain me dit : « We have had a good time », je sais que cela veut dire : « J'ai bien dansé et surtout j'ai bien bu. »

A Los Angeles j'étais en proie à la persécution du directeur d'un important journal qui voulait à toute force me faire ouvrir une succursale dans cette grande cité et prétendait m'en procurer les moyens. Chaque jour, à midi, ce gros homme arrivait pour me tenir au courant des conversations qu'il avait eues relative-ment à cet objet, et tout en causant il se versait de larges rasades de whisky, car il portait sur lui plus d'un litre d'alcool, ayant dans chaque poche un flacon de métal rempli de spirit. Cet « homme-réservoir » m'offrait natu-rellement de partager ses libations, mais je repoussais ses propositions parce que ce qu'il buvait était positive-ment infâme, et puis je tenais à démêler ce qu'il pensait à travers ses propos embarrassés et je voulais garder ma lucidité. Tantôt il me disait : « Je bois, voyez-vous, Poiret, pour mettre en échec cette affreuse loi de prohi-bition qui est indigne d'un grand peuple. Je bois parce que c'est défendu. Ce qui me plaît, ce n'est pas l'alcool, c'est le jeu de la fraude. » Et quelques heures plus tard, il tenait les propos suivants : « Pourquoi les agents de la prohibition ne font-ils pas mieux leur service ? Pourquoi trouvons-nous encore cet affreux poison qui nous dégrade et nous avilit ? Nous sommes comme des enfants, nous ne savons pas y résister. » Et, je ne sais comment, il rentrait chez lui.

A mon premier voyage, je fus invité par un important industriel du Canada à passer une soirée à bord de son yacht sur le lac Erie. Je devais rejoindre Buffalo le lendemain matin, nous traverserions le lac pendant la nuit. Le dîner fut parfait, d'une correction toute anglaise, on parlait peu, on mangeait peu, on buvait encore moins, on ne s'amusait pas du tout. Quand nous touchâmes au café, notre propriétaire déclara en se tournant vers les dames : « Ces dames ne seront pas fâchées de rejoindre leurs cabines, car elles sont certainement très fatiguées après la journée d'aujourd'hui. » Ces dames ne se le firent pas dire deux fois, elles s'empressèrent de se retirer. Dès qu'elles eurent le dos tourné, tous les panneaux des portes grincèrent, craquèrent, et s'ouvrirent comme dans les romans d'Alexandre Dumas père. On vit partout des bouteilles de champagne et des liqueurs. Avec des airs complices, les stewards apportaient les calvados, les marcs, les mirabelles, les kirchs, les Schiedams et les ratafias des grandes années. Sans se dérider, mon hôte me versa d'incessants whiskys jusqu'à trois heures du matin et quand je regagnai ma cabine, pour me coucher, il me fit porter dans mon lit un « night cap » bien tassé que je dus jeter dans le lac, par le hublot de ma cabine.

XVIII

CONFÉRENCES

On m'a beaucoup demandé ce que j'allais faire
en Amérique. Les gens se représentent mal ce qu'un
couturier peut bien avoir à dire sur la mode. C'est
un sujet futile et qui, par définition, semble échapper
à l'analyse. Néanmoins, j'ai pu dégager quelques vérités
que j'ai essayé de mettre sous les yeux d'un grand nombre d'Américains et j'ai voulu leur faire connaître la
mode française telle qu'elle est, et non pas telle qu'elle
leur arrive, alambiquée et filtrée par de mauvais intermédiaires.

Voici, choisis au hasard et présentés en désordre
quelques extraits de mes conférences, qui satisferont
les curiosités ; laissez-moi ajouter que ces lectures étaient
faites en anglais, dans de grandes salles où se réunissaient quelquefois sept ou huit mille auditeurs féminins.
Je ne me souviens pas y avoir rencontré un homme.
J'étais généralement accueilli par une ovation, après
avoir été présenté par un speaker, comme c'est la
coutume aux Etats-Unis et je m'exprimais en ces
termes :

« Je vous remercie, mesdames, de l'enthousiasme
que vous venez d'exprimer. Je sais que vous me consi-
dérez comme un roi de la Mode. C'est ainsi que me

nomment vos journaux, et c'est comme tel que je suis
reçu partout, entouré d'honneurs et fêté par un grand
concours de peuple. C'est un traitement qui n'est que
flatteur et dont je ne saurais me plaindre. Il faut pourtant que je vous détrompe sur la qualité du roi de la
Mode. Nous ne sommes pas de ces despotes capricieux,
qui, en s'éveillant le matin, décident d'apporter un changement dans les habitudes, de supprimer les encolures
ou de faire bouffer les manches. Nous ne sommes ni des
arbitres ni des dictateurs. Il convient plutôt de voir
en nous les serviteurs aveugles de la femme qui, elle,
est toujours éprise de changement et assoiffée de nouveau. Notre rôle et notre devoir consistent donc à épier
le moment où elle sera fatiguée de ce qu'elle porte, pour
lui proposer à point nommé quelque chose d'autre qui
sera conforme à ses désirs et à ses besoins. C'est
donc muni d'une paire d'antennes, et non pas d'une
férule, que je me présente devant vous, et ce n'est pas
en maître que je vous parle, mais en esclave, désireux
de deviner vos secrètes pensées.

« Je ne suis ici que pour vous servir, et, si depuis
vingt ans je me suis tenu à la tête de tous les mouvements révolutionnaires et subversifs, c'est que la mode
de demain m'a toujours semblé plus belle que celle d'aujourd'hui. Dès qu'un gouvernement est né, je songe à le
renverser pour en créer un autre qui me paraît meilleur, semblable en cela à notre vieux Clemenceau national. Tous mes concurrents, qui sont aussi des inventeurs,
veulent bien s'accorder pour reconnaître que je suis le
plus hardi d'entre eux, celui qui risque sa réputation en
reculant bien loin les limites du vraisemblable, et qui,
chaque fois, vous indique exactement le point jusqu'où
vous pouvez aller trop loin. C'est comme créateur
que je veux vous parler aujourd'hui et que je viens me
plaindre à vous de la difficulté que l'on a à vous intéresser à ce qui est nouveau.

« Je n'ai jamais rencontré de femmes aussi fidèles
que les Américaines. Ce n'est pas un défaut, c'est au

contraire une qualité, assez rare, mais, quand il s'agit de la mode, cette fidélité prend le nom de routine, et la routine est haïssable, la mode veut du changement, et les créateurs se plaignent de traîner à leurs pieds le boulet que représente la masse américaine.

« Il y a entre nous et vous des intermédiaires, dont la fonction est de vous apporter nos idées neuves, et ils ne le font pas ; ils sont envoyés à Paris chaque saison pour rendre compte des tendances nouvelles, colombes chargées d'annoncer les menaces ou les probabilités du proche avenir. Mais ils ne sont ni des artistes ni des poètes. Ils sont avant tout des commerçants, leur principal objectif étant de gagner de l'argent. Pourquoi introduiraient-ils en Amérique des éléments nouveaux qui bouleversent le rendement du travail, troublent l'opinion des femmes, si savamment maîtrisée, et compromettent le résultat de leurs affaires ? Ainsi, vous êtes condamnées à ne voir de la mode parisienne que ce qui est sans personnalité, sans signification et votre mode évolue lentement ou pas du tout. Un de ces acheteurs me disait un jour brutalement :

« Je ne m'intéresse pas tant que vous aux recherches artistiques. Le meilleur modèle pour moi est celui que je vends le plus. Je viens ici pour mon commerce et non pour votre art. »

« Tous pensent ainsi, et ils achètent non pas le plus beau mais le plus banal de nos modèles, parce qu'il se vendra à un plus grand nombre d'exemplaires. L'effet de cette manière d'agir a été ressenti en France, où le mot d'ordre est de mettre un frein à la fantaisie des novateurs. « N'effrayons pas les acheteurs américains par une nouveauté exagérée » et ainsi cette classe d'acheteurs, recherchée par toutes les maisons de couture et qui devrait être un stimulant, menace en vérité l'essor de la mode, et compromet irrésistiblement une industrie dont la raison d'être est de créer de la nouveauté.

« Les maisons se tiennent à faire des variantes de

leurs succès de l'an dernier au lieu d'inventer, et la mode
reste stationnaire, c'est-à-dire anémique, chlorotique,
neurasthénique.

« Les femmes sont habillées comme un troupeau de
pensionnaires, comme un orphelinat en uniforme ; cela
me choque, surtout en Amérique où la femme est riche
et se dit indépendante. De plus, depuis la guerre, c'est
l'Amérique qui garde l'étendard du luxe et de l'élégance,
car la France est pauvre. Ici, les femmes sont jolies,
saines, équilibrées, épanouies comme des fleurs, sportives, combien de fois ne m'a-t-on pas demandé ce que
je pensais de la femme américaine, et combien de fois
n'ai-je pas répondu qu'elle était la plus belle du monde,
le type le plus naturel et le plus parfait de l'architecture
féminine, le plus proche aussi de l'idéal que concevaient
les Grecs de l'antiquité. Mais il leur manque une chose,
c'est la personnalité. »

Une autre fois, je leur disais :

« Vous m'acclamez, parce que je suis un novateur
et parce que vous savez que j'ai toujours été à l'avant-
garde des mouvements modernes, jusqu'au risque de
passer pour un excentrique. Mais quand un novateur
pense à une nouveauté, elle est au même moment
réalisée et rêvée. C'est le miracle des fleurs et des fruits
sur un arbre. On n'empêche pas un créateur de porter
des fruits sous peine de le faire mourir.

« Ce n'est pas toujours le novateur qui profite de ce
qu'il a créé, car la nouveauté mûrit lentement, ou
plutôt le public a besoin de réfléchir longtemps pour
la comprendre. Un pays même moderne comme l'Amérique est très conservateur, et si on veut y lancer quelque
chose de nouveau, il est bon de s'y prendre plusieurs
années à l'avance, de sorte que le jour où cela sera
lancé, cela ne sera plus nouveau.

« Quand j'annonce aujourd'hui que les jupes courtes
ont fini de régner, et quand je prophétise les jupes longues ou les jupes-culottes, je crée une sensation d'angoisse et d'inquiétude. Les sceptiques sourient. On

dit que je suis fou. On jure qu'on ne portera jamais
la jupe longue. On se réunit pour protester en commun.
Ainsi fait le monsieur qui refuse au mois de juin d'acheter un chapeau de paille et qui s'y décide en septembre,
au moment où il va falloir le serrer dans l'armoire. C'est
l'éternel démodé. Je suis habitué à cet état d'esprit et
je sais que vous avez l'humeur contredisante.

« Quand les jupes étaient longues, j'ai eu beaucoup
de mal à les faire raccourcir, et aujourd'hui, la jupe
courte, en Amérique principalement, dépasse toutes les
perspectives les plus optimistes. C'est évidemment le
signal d'une réaction. Toutes vos protestations, je vous
le dis en vérité, seront vaines et inutiles : vous porterez
les jupes plus longues, jusqu'au jour où elles devien-
dront des jupes-culottes. Tous les atermoiements, toutes
les remises sont vains. Il ne s'agit pas d'un caprice de
ma part. C'est l'évolution qui en décide. Ma prédiction
s'exerce à coup sûr, comme celle de Le Verrier, qui
découvrit la planète Neptune et en détermina les dimensions longtemps avant que les télescopes eussent permis
de l'apercevoir.

« Quand j'ai supprimé les jupons, en 1903, les
fabricants de soieries ont détaché vers moi une délégation pour me démontrer que j'avais fait du tort à
leur industrie, et que je les lésais encore dans leurs
intérêts en faisant les jupes plus étroites. Ils me consi-
déraient comme responsable de cette décision, tandis
que je n'étais que l'exécutant de vos désirs, que j'avais
devinés, le premier.

« Je devrais peut-être vous laisser croire que je commande et que vous n'avez qu'à obéir. Ce serait plus
flatteur, mais ce serait moins exact. La vérité est que je
réponds par anticipation à vos secrètes intentions.

« Il y a des indices qui permettent d'annoncer la
fin d'une mode. Bien peu de gens savent les reconnaître.
Ainsi, le jour où j'ai annoncé que les chapeaux seraient
désormais tout unis, c'est que je m'étais aperçu qu'ils
étaient alors couverts de feuilles, de fleurs, de fruits, de

plumes et de rubans, et tout excès en matière de mode est signe de fin. Néanmoins, j'ai reçu au lendemain de cette prédiction, une délégation d'industriels, fabricants de fleurs, de fruits, de feuilles, de plumes et de rubans, qui, comme les bourgeois de Calais, venaient me supplier de revenir aux garnitures. Mais que faire contre un vœu ou un désir de femme ? Les chapeaux restèrent unis, ils le sont encore, et je le déplore.

« Quand j'ai annoncé la disparition du corset, même sensation. Tous les présidents des chambres syndicales intéressées me représentaient que je mettais à pied toute une fourmilière d'ouvrières. Il fallut leur expliquer que les femmes et leurs corsets s'étaient toujours transformés dans l'histoire, et qu'elles se transformeraient encore. Ils devaient se tenir prêts à toute éventualité.

« Enfin, quand j'ai annoncé aux coiffeurs la fin des postiches et que les femmes couperaient leurs cheveux, ils m'ont considéré comme l'Antéchrist. Ils ne se rendaient pas compte de ce qui devait arriver. Les cheveux courts sont beaucoup plus difficiles à entretenir que les cheveux longs. On ne s'en tire pas avec une « permanente ». On est tout le temps fourré chez le coiffeur, dont la profession n'a jamais été aussi prospère.

« Ainsi, en toute occasion, j'étais considéré par les industriels comme le méchant tyran qui peut tout à coup, d'un froncement de sourcils, plonger dans la misère tout un peuple. Je suis fatigué de jouer ce rôle, et tant pis pour moi si c'est moins glorieux, mais je tiens à vous répéter que je ne suis qu'un médium sensible aux réactions de votre goût, et qui enregistre méticuleusement les tendances de vos caprices. »

J'ai dit à celles de Chicago :

« Parmi les appellations dont on se plaît à me désigner, il y en a une qui m'a toujours amusé : c'est celle de « King of Fashion ». Aucun titre n'est plus propre à flatter l'orgueil d'un homme, d'autant plus que le King of Fashion règne non seulement sur un peuple, mais sur tous les peuples, sur l'univers entier, et sur les souverains eux-mêmes. Souverains des Etats et des royaumes, souverains de la finance et de l'industrie, tous sont soumis au despotisme de la mode, qui est un dictateur intolérant. Mais vous ne savez peut-être pas vous-mêmes à quel point vous êtes à sa merci, car vous évoluez inconsciemment et vous arrivez à vouloir la même chose qu'elle, mais en vérité vous n'avez plus aucun libre arbitre. C'est la mode qui, comme une influence astrale, vous impressionne et qui commande et règle vos décisions, tyran deux fois despotique, puisqu'il régente les femmes, qui gouvernent les actions des hommes.

« Au moment où une femme choisit ou commande une robe, elle croit le faire en toute indépendance, en toute personnalité, mais elle se trompe. C'est l'esprit de la mode qui l'inspire, qui règne sur son intelligence et qui obnubile son jugement. Naturellement, elles s'en défendent toutes. En m'écoutant parler, la plupart d'entre vous pensent : « Il exagère. Nous ne sommes pas à ce point-là esclaves de la mode, et nous savons nous dispenser de la suivre quand elle ne nous plaît pas.

« Mais voilà où est le tour de force, le miracle. Elle leur plaît toujours. Et ce despotisme est séduisant par définition. Les femmes sont toujours du même avis que la mode, qui en change tout le temps.

« Mais ce dictateur, me direz-vous, qui donc inspire ses décisions ? Rien ni personne. Il fait ce qu'il veut et veut n'importe quoi. Il a même à tout instant le droit de se contredire, et de prendre le contrepied de ses décisions de la veille. Tout le monde bougonne d'abord, obéit ensuite, applaudit enfin.

« J'ai entendu des gens qui essayaient d'insinuer que les modes d'aujourd'hui sont enfin plus pratiques et que la femme porte des vêtements inspirés par la nécessité. C'est tout le contraire. Elle est sans cesse illogique, et trouve dans sa folie une satisfaction, un malin plaisir. Si les stocks de cuir se raréfient, elle désire des chaussures hautes comme celles des aviateurs.

Manque-t-on de zibeline, c'est la fourrure qu'elle recherche. Elle n'envie que ce qui est rare, parce que ce qui
est rare est cher.

« L'esprit de contradiction dans la mode est si
fréquent et si régulier, qu'on y trouve presque une
loi. Les femmes ne portent-elles pas des renards sur
des robes légères, des chapeaux de velours au mois
d'août et de paille en février ? C'est à l'époque des
étroites chaises à porteurs qu'elles s'affublaient des
paniers les plus rebondis et les plus encombrants. C'est
à l'époque des inconfortables diligences qu'elles portaient des crinolines et il faut ajouter ce détail bien
savoureux, qui montre qu'elles connaissaient leur
erreur : les crinolines se dégonflaient et se regonflaient
à leur gré. Elles étaient soutenues par trois ou quatre
rangs de ressorts d'acier qu'on passait dans les coulisses.
Montait-on en voiture, on découlissait ces ressorts, et
on les roulait sous un petit volume, en les contenant
dans une petite boîte. Arrivées à l'étape, ces dames
se sauvaient dans la première chambre de l'auberge,
passaient en hâte les ressorts dans les coulisses et paraissaient dans la cour de l'hôtellerie pimpantes et roidies
comme la corolle des fleurs.

« Il y a, dans les décisions de la mode et des
femmes, une sorte de provocation au bon sens qui
est charmante et qui ne peut fâcher que les esprits
chagrins.

« Il y a quelques années, tous les chapeaux d'été
avaient de grands bords. C'était normal, puisqu'ils sont
destinés à protéger des rayons du soleil ; cela ne pouvait
pas durer. Aujourd'hui, ils n'ont pour ainsi dire plus
de bords. A ce moment-là, on montrait les cheveux, et
quand on n'en avait pas assez, on cousait des postiches
sur le bord de son chapeau. Personne n'aurait alors osé
cacher sa nuque, son crâne, son front dans une toque
enfoncée jusqu'aux sourcils. La mode était intolérante,
elle l'est encore, mais dans le sens contraire, aujour-
d'hui.

« De même, y a-t-il une femme qui, il y a quinze ans, eût porté des bas roses ou beiges, comme ceux qu'elle porte aujourd'hui. Tous les bas étaient obligatoirement noirs, de même qu'en 1840 ils étaient blancs. A l'époque des bas blancs, vous n'auriez pas osé risquer une paire de bas noirs. A l'époque des bas noirs, on n'aurait pas trouvé une paire de roses dans les magasins, et aujourd'hui allez donc en chercher des noirs !

« Que seront-ils demain ? me demandait un journaliste.

« Je ne vois pas de raison, lui ai-je répondu, pourquoi on ne porterait pas un bas de couleur sur une jambe et d'une autre couleur sur l'autre. Vous riez ? Mais ça s'est déjà fait, et à l'époque où on le faisait, vous n'auriez pas risqué de mettre des bas blancs. »

« Par conséquent et c'est là que je voulais en venir, il ne faut pas crier au scandale devant une chose qui n'est pas admise aujourd'hui ; elle le sera demain. Il n'y a pas de vraisemblable en matière de mode. Tout est excès et convention.

« Si vous voyiez demain dans Fifth Avenue une élégante se promener avec une tournure, vous crieriez au scandale, ou si elle portait le vêtement qui sera le vôtre dans vingt ans, vous refuseriez de l'admettre car, à chaque époque, on croit fermement que la mode du moment est l'expression définitive, la plus raisonnable et la plus esthétique. Il n'en est rien, et il faut toujours s'attendre à l'imprévu, au contraire, et quand on prédit la mode, il ne faut pas craindre d'aller loin, d'aller fort ! Elle dépasse toujours les pronostics. Alors, pourquoi résister à ses suggestions ? Pourquoi protester contre une jupe-culotte ? Elle vient, irrésistiblement. Elle est entrée chez vous sous la forme du pyjama. Vos grand-mères n'ont-elles pas poussé des cris quand elles vous ont vues adopter cette toilette masculine, même pour la nuit ? Aujourd'hui, vous la portez pour déjeuner, et vous avez des variations sur le même thème pour dîner. On en a déjà porté à Paris, il y a quelques années. Il a fallu la

maladresse d'un Béchoff qui a voulu faire parler de lui
en les faisant porter aux courses, pour faire échouer la
première tentative. Mais la jupe-culotte est inéluctable,
et je crois que l'Amérique est tout près d'adopter sa
formule libératrice, qui ouvrira des voies nouvelles à
l'invention des créateurs, tandis que la mode des jupes
piétine dans les redites. »

Et j'ai dit à celles de Los Angeles :

« Quand des centaines de jolies femmes sont réunies
dans la même salle, sous un prétexte de mode, on peut
vraiment se demander ce que vient faire un homme
dans cette partie ? Croyez-vous vraiment qu'un homme
ait quelque chose à vous apprendre en matière d'élégance ? Il y a un certain ridicule à le tenter, et celui
qui est venu pour vous enseigner se demande, aujour-
d'hui en vous regardant, si ce n'est pas lui qui a une
leçon à recevoir.

« Car j'ai traversé l'Atlantique pour vous parler de
la mode. Un Français, vous le savez, n'aime pas voyager.
Un Français aime sa maison, il est fidèle à ses habitudes, attaché à sa famille et se plaît dans son cadre étroit.
Il est comme un oiseau qui aimerait sa cage et qui, la
porte ouverte, refuserait de s'en aller. Disons qu'il a de
sérieuses raisons pour le retenir chez lui. Outre sa
femme qui est, par définition, charmante, il y a la
cuisine, les plaisirs de la table et... les vins, qu'on ne
trouve pas partout. Moi, qui suis français et très sensible
aux charmes du vin, je comprends qu'on hésite à quitter
son pays. Et pourtant l'Amérique m'attire irrésistiblement. J'y suis venu déjà deux fois, et il me semble que
j'ai besoin de son atmosphère d'activité, d'esprit pratique, de clarté, d'intelligence et de travail. Tous les
jeunes Français devraient venir au moins une fois en
Amérique, et les vieux surtout.

« Aujourd'hui, je suis venu prêcher une croisade.
Je veux crier aux femmes américaines : Attention ! on
vous trompe. Vous croyez suivre la mode parisienne,

vous ne la connaissez pas ! Vous envoyez à Paris des émissaires chargés de vous renseigner qui ne vous disent pas ce qu'ils ont vu. Vous êtes des femmes affranchies, des vedettes de cinéma, riches, libres, indépendantes. Venez à Paris !

« Quand vous allez dans une maison américaine, on vous rend un modèle. C'est un 42, un 44 ou un 46. Vous êtes cataloguées selon vos dimensions. Vous portez un numéro. A Paris, vous aurez l'impression qu'on exécute pour vous un modèle spécial, en tenant compte de votre personne, de votre caractère et de vos habitudes.

« Entrez chez les grands couturiers et vous sentirez que vous n'y êtes pas dans un magasin, mais chez un artiste qui se propose de faire de votre robe un portrait de vous-même, et ressemblant. Dès que vous aurez franchi la grille de fer forgé, vous trouverez d'abord un buste archaïque d'une Vénus antique. Il est dressé dans le hall d'entrée, comme un hommage rendu à toutes les grâces et à toutes les splendeurs de la femme. Puis, vous accéderez au premier étage, par un escalier de marbre, où vous rencontrerez des biches en bronze. Elles symbolisent l'élégance.

« Alors, vous serez dans les grands salons tapissés de rose et d'argent, comme les grottes de la nymphe Calypso. Si vous êtes vraiment une femme, vous ne pouvez pas ne pas perdre la tête devant les miroirs, les lumières, les couleurs tendres, et votre sensibilité s'amollira pour recevoir les fortes impressions qui vous guettent.

« Voici des modèles qui viennent avec des grâces majestueuses, comme des divinités dont les pieds ne touchent pas le sol. Aucun bruit. Pas de grandes orgues. Pas de phonographe. C'est un temple de la beauté, et il faut faire appel à toute la sagesse et à toute la raison des femmes pour ne pas sombrer dans les tentations qui vous harcèlent. Une vendeuse est près de vous, elle contrôle votre ravissement. Si vous êtes forte, il est

encore temps de vous lever et de disparaître en disant
que vous reviendrez un jour prochain. Mais si vous êtes
femme, vous ne pouvez pas dire que vous n'avez pas
envie de porter au moins une de ces merveilles, qui
contiennent toute l'admiration, toute la tendresse, tout
l'amour, disons le mot, qu'un artiste peut exprimer à
travers les étoffes.

« Suis-je un fou quand je songe à mettre de l'art
dans mes robes, ou quand je dis que la couture est un
art ? »

A Chickasha, Etat d'Oklahoma, j'ai parlé à trois
mille jeunes filles et je leur ai dit :

« Ce n'est pas dans des journaux de mode que vous
pouvez apprendre à être belles. Qu'avez-vous à faire
avec la mode ? Ne vous en occupez donc pas, et portez
simplement ce qui vous va bien, ce qui vous est seyant.
Regardez-vous dans votre miroir. Observez les couleurs
qui rehaussent l'éclat de votre teint, ou celles qui le
ternissent. Adoptez celles qui vous sont favorables, et
si le bleu vous va bien, ne vous croyez pas obligées de
porter du vert parce que le vert est à la mode. »

Après que j'eus développé ce thème pendant une
heure, je demandai à mon auditoire si quelqu'un avait
une question à me poser.

On me fit passer des petits papiers sur lesquels on
avait écrit les questions suivantes :

« Quelle sera la nuance à la mode cet hiver ? »
Ou :

« Quelle couleur faut-il porter dans un mariage ? »
Elles n'avaient rien compris ou peut-être rien écouté.

Pour réparer cet impair, la directrice permit aux
élèves des grandes classes de défiler devant moi pour
apprendre de ma bouche quelle était la couleur que
chacune devait adopter. Je vis ainsi défiler mille cinq
cents vierges, que je fixais dans les yeux pour démêler
la couleur de leurs prunelles, et je devais dire immédia-

tement, comme un visionnaire, le ton qui leur convenait. Je criais : « du bleu », « du vert », « du grenat », et ces demoiselles se retiraient contentes.

Il faut vous dire que je touchais mille dollars par conférence. Vous ne trouverez pas que c'était exagéré.

Quand je dis que je touchais, je farde la vérité, car mon manager se rendit introuvable, au moment du règlement de comptes. Il me devait 250 000 francs, je le cherchai partout, chez lui et ailleurs et je dus quitter l'Amérique en confiant à mon avocat la tâche de le poursuivre. C'était une mission délicate, car il aimait l'aviation, et vous avez lu dans les journaux qu'il s'était tué en voulant atterrir avec son appareil sur le sommet d'un building. Il ne laissait que des enfants et des dettes.

J'ai trouvé des notes que j'avais écrites au cours de mes premiers voyages, sous l'empire de cette impression. Les voici :

Comment pourrait-on regarder cet entassement d'architectures qu'est New York, vue de l'Hudson, sans être étreint comme si on était pétri par la main d'un géant ? A partir de l'instant où on a vu cet ensemble prodigieux on admire et on est accablé.

C'est de cet accablement même que naissent beaucoup de critiques. Il y a un défaut d'échelle entre les dimensions américaines et la proportion du petit homme de partout qui vient voir. Il ne s'adapte pas du premier coup, il éprouve un certain malaise et il souffre, sans savoir de quoi.

L'Amérique ? beaucoup d'étages ou du moins beaucoup d'ascenseurs, beaucoup de lunettes, beaucoup de crachoirs, beaucoup d'eau glacée, mais pas la moindre fantaisie.

La rue est pleine d'hommes et de femmes : pas un regard, pas une œillade. Ils ne savent pas ce qui tient de sympathie, de réserve, de désir et de respect dans une expression des yeux. Ici les yeux n'ont pas d'expression. Ils regardent. Voient-ils ?

Un soir, en rentrant du théâtre, je m'arrêtai pour contempler un paysage féerique. J'étais sur un large trottoir. Des voitures amples et confortables roulaient sans bruit tout près de moi. C'étaient comme des ombres, des apparences de voitures et en face de moi, à une hauteur prodigieuse, les maisons se profilaient, blocs implacables, perforés de fenêtres régulières. Dans le ciel montaient des clochetons, des belvédères, des temples, des frontons, éclairés d'une lumière rose et qu'on aurait cru suspendues, accrochés aux étoiles. De toutes parts, des tours, des flèches et des cathédrales jaillissaient vers le velours noir du ciel, les unes illuminées de bas en haut, les autres obscures, portant à leur sommet une flamme d'or.

Ques êtres ? Quelles forces ? Quels dieux habitent ces édifices ? pensais-je, et comme je me remettais en marche, j'aperçus de nouveaux clochers, et une immensité de cubes superposés, un amas de châteaux de rêve, de donjons et de terrasses où se jouaient l'ombre et la lumière. Je restais confondu, comme après l'audition de ces symphonies qui font battre les artères et dilatent le cœur jusqu'au paroxysme. C'était New York que j'avais devant moi et j'eus aussitôt une notion claire de sa force.

Que peut-on opposer à ce spectacle ? Peut-être la civilisation de la Rome antique. Quelle différence y a-t-il entre un combat de gladiateurs dans le décor du Colisée et la rencontre de Tunney et Dempsey sous les yeux de cinquante mille spectateurs, ou le match Army-Princeton ? La même humanité y est secouée par la même passion et croit encore au progrès. Elle évolue sans relâche, et se retrouve toujours à son point de départ, et malgré des efforts constants, des victoires spirituelles, des découvertes scientifiques et des miracles d'audace, elle reste sujette aux mêmes désirs et esclave des mêmes passions.

En dictant ce chapitre, j'ai sous les yeux les lettres que j'écrivais d'Harrisburg, Pensylvanie, et de Minneapolis. J'avais changé de train à Chicago, et entre deux gares, j'avais accompli un trajet en automobile à une allure vertigineuse. J'avais vu tout à coup la grande avenue, sur laquelle je roulais avec un torrent de voitures, se soulever perpendiculairement en un clin d'œil. Les autos freinaient, formant la haie. La chaussée, les trottoirs devenaient un mur devant elles. Ils se tenaient quelques instant dans la position verticale. Un navire passait. Puis ils s'abaissaient de nouveau, du même mouvement régulier et rapide. Alors, reprenait le trafic un instant suspendu. L'arrêt, la manœuvre, la reprise, tout s'était passé en silence. Pas de klaxon, pas d'impatience, pas d'agitation, nulle parole.

A la station, un nègre saisissait mes bagages et prenait le numéro de ma place dans le train, m'affirmant que je le retrouverais là. (Le retrouverais-je ?)

Déjeuner rapide ou plutôt quick-lunch, blue-points, Casaba-melon. Je parcours les journaux. « Des bandes armées terrorisent Chicago et bravent les policiers avec une ingéniosité admirable. » Le quai de la gare, bordé de deux trains de luxe, s'étend comme une ruelle étroite entre des maisons noires dont les fenêtres étincellent. La foule débouche en silence. Panaches de fumée. Sons de cloches. Bagages. Je crois avoir vu cela dans *le Tour du monde en quatre-vingts jours*. Puis, la rue s'anime, les voyageurs, sagement, comme des automates conscients, soumettent leurs tickets aux nègres en livrées noires, parfaitement astiqués et appétissants, qui sont de planton à l'entrée des voitures. Ils reçoivent avec un large sourire leurs invités, graves et préoccupés. Aucun parent, aucun ami inutile n'encombre la ruelle. Si, pourtant, voici une mère noble, couverte de fourrures, bordée de singe, la bouche pincée. Elle accompagne sa fille qui part. Pas de mots, pas de vociférations, mais deux vraies larmes tout à coup sillonnent les joues. Suis-je en Amérique ? Je me croyais au Châtelet.

Et voici venir la petite milliardaire, dans son manteau d'astrakan gris, avec des snow-boots jusqu'aux genoux et un bouquet de cerises rouges piquées à son col.

Monté dans le train, trouvé à ma place mes valises et mon nègre fendu jusqu'aux oreilles. Pourboire. Sifflet. Nous sommes partis, sans bruit et sans secousse.

Nous roulons à 55 milles (sans avoir l'air d'y toucher). Je fais le tour de mes appartements. Voici la salle à manger, avec les nègres vêtus et gantés de blanc. Dans le club-car, compartiment de sombre mahogany (acajou, mais c'est du fer), réservé aux hommes, il y a deux rangées de fauteuils profonds, dans lesquels je ne distingue que des lunettes, des journaux et des cigares. Visages fabriqués en série, et tellement standardisés que je ne saurais les reconnaître. Ils ont tous la même expression, fixe et obstinée.

On traverse des campagnes couvertes de neige, steppes plates et désolées, des agglomérations bungalows, de Vésinets grossis deux cents fois, et coupés d'avenues où galopent des amazones à califourchon, coiffées de casquettes de jockey en velours noir, et tous leurs cheveux roux au vent.

Plus loin, des groupes d'usines gigantesques comme des casernes ou des châteaux sans toits. Leurs hautes cheminées portent verticalement des lettres immenses, indiquant la nature de leur activité « Hobart Fine Pianos ».

```
        A    F    E
        M    O    Q
        E    U    U
        R    N    I
        I    D    P    Publicité fumante !
        C    R    M
        A    Y    E
        N         N
                  T
```

Un fonctionnaire, discrètement galonné, me demande mon nom, pour le cas où un télégramme arriverait en route. Il m'indique son compartiment, où son personnel se tient prêt à recueillir ce que je dicterai. Je ne résisterai pas à profiter de ces luxueuses facilités. Je télégraphierai à des amis, pour le plaisir, mais je voudrais bien recevoir un télégramme, et je sais que je n'en aurai pas. Vexé.

Partout, des commodités dont je ne peux pas me servir. Des crachoirs. Je ne crache pas. Des écritoires, je n'écris pas dans les trains. Des défoncements dans les tables pour recevoir des bouteilles et des verres. Mais on n'y boit que de l'eau minérale. Au milieu du wagon, un vieux monsieur chauve et distingué, qui paraît ne s'être jamais mis en colère de sa vie, fume un cigare encore plus long que le mien, qui m'a coûté dix-huit francs. A côté de lui, un vieux secrétaire l'écoute et prend des notes. Il rend le bruit voilé d'une crécelle. Impossible de comprendre ce qu'il dit. Il est très grave. Il ne sourit jamais. Personne, du reste, ne songe à sourire. Il y a bien longtemps que je n'ai vu un sourire. Ils sont donc tous en France ? Ici, il n'y a que des rictus. On ne vient pas ici pour rigoler. Qu'est-ce qu'un pays où on sourit tout le temps ? Ce n'est qu'un lieu de plaisir, pour y passer les vacances.

Je regagne ma place. J'y trouve un petit imprimé qui m'indique toutes les innovations appliquées à ce train modèle, qu'on appelle le « Twentieth Century Ltd » et qui m'apprend le prix de toutes choses. Ce train représente à lui seul un capital de 1 million 46 000 dollars, soit plus de 26 000 millions de francs. Je suis content de le savoir, mais ce n'est pas très délicat de me le dire.

Il nécessite 32 employés, sans compter le barbier, qui y a sa propre boutique, ni le valet, qui, dans la sienne, presse les vêtements pendant la nuit, ni la nurse brevetée consacrée au service des dames et des enfants, qui y a son propre appartement où elle peut donner

des bains, et qui est en même temps manucure. Et
enfin il y a un « observation car ». C'est une terrasse
couverte située en queue de train et limitée par un
balcon, d'où on peut jouir du paysage, assis dans un
confortable fauteuil de jardin. Mais... il n'y a pas de
paysage.

XIX

GASTRONOMIE

J'ai dit au début de ce livre que je n'avais pas d'appétit étant enfant. Je dois à la vérité de reconnaître qu'en prenant de l'âge je suis devenu gourmand, et quelques-uns de mes amis veulent bien me considérer aujourd'hui comme un connaisseur en matière de gastronomie. C'est une science empirique, que tout le monde peut exercer en France, où il y a à la fois les meilleurs produits et les plus adroits cuisiniers.

Etre un gourmet, cela représente une éducation spéciale, faite de beaucoup d'expériences heureuses, ou malheureuses. Cela représente des croisades dans le Bordelais, des expéditions en Champagne et en Bourgogne, pour y apprécier les crus classés, et exercer les facultés de son palais.

J'ai vu dans un hôtel à Epernay des étrangers qui demandaient du sauternes. N'était-ce pas une hérésie ?

J'ai vu pleurer le chef sommelier de la Tour d'argent, ce conservatoire des traditions gastronomiques, parce que des étrangers vidaient sa cave, sans l'apprécier. « Ce sont des profanes, me disait-il, qui achètent mes pièces les plus rares, mes lur-saluces 63, mes château-laffitte 75, mes haut-brion 1900 et qui, à la fin du repas, me demandent un verre de bière, parce qu'ils ont encore soif. Les grands connaisseurs s'épuisent et nos bons vins aussi. Comment reconstituer les bibliothèques vinicoles et les musées œnologiques d'un Braquessac (café Voisin), de la Maison dorée ou du Café Anglais ? »

Pour moi, je crois qu'un artiste ne doit manger que de bonnes choses et se méfier des mauvais repas autant que fuir les mauvais spectacles. J'aime mieux me passer de dîner que de manger une nourriture malsaine ou médiocre. L'ordonnance et la préparation d'un joli dîner m'ont toujours semblé être des occupations dignes d'un aristocrate.

La cuisine, comme la fumée, peut s'élever au-dessus des fourneaux, et on peut trouver une satisfaction spirituelle à la faire ou à la manger. C'est du moins ce que je pense, chaque fois que je déjeune chez mon ami ami Verdier, un grand chef de la vieille école, qui a écrit les livres culinaires les plus érudits.

J'ai fait partie d'une association de gourmets qui s'appelait le club des Cent, et qui m'a causé des déboires que je veux raconter pour dissiper des équivoques persistantes.

Le président de cette association, qui réunissait cent camarades plus ou moins gourmets, s'appelait Nathan dit Louis Forest. Il était journaliste et il avait mal à l'estomac. Quand il présidait un banquet, il sortait de sa poche deux œufs frais pondus qu'il faisait discrètement remettre au cuisinier en indiquant : « Trois minutes. » Ses fonctions étaient donc purement honorifiques, et ne l'obligeaient pas, comme on voit, à contracter une gastralgie.

Nous fûmes un jour convoqués à un dîner du Club sur la Péniche parisienne, celle qui, avant la bataille de la Marne, avait été la propriété et l'habitation du maréchal Joffre. Les invitations stipulaient qu'on ne devait pas amener d'invités. Nous devions dîner entre membres du cercle.

On se mit à table. J'avais à côté de moi mon ami Creste, et de l'autre côté mon ami Lamberjack, ancien coureur cycliste de la belle époque, qui avait son franc-parler et des répliques fulgurantes. C'était d'ailleurs une partie de son charme.

Je dirai comme La Fontaine :

> *Le régal fut fort honnête.*
> *Rien ne manquait au festin*
> *Mais quelqu'un troubla la fête.*

Vers la fin du repas, un monsieur que nous ne connaissions pas et qui ne nous avait pas été présenté, se leva, du côté du président, pour vanter les charmes et chanter les mérites d'un vin qu'il voulait nous faire goûter. Il en avait apporté cinquante bouteilles. C'était un château de M... C... qui me parut une bibine inqualifiable (je ne veux pas donner son nom, d'abord, pour ne pas être poursuivi, et ensuite parce qu'il ne mérite pas ma publicité). « Ce vin, disait ce représentant de commerce, était fabriqué d'après les pures traditions de la Touraine », et il allait se répandre en variations sur ce thème, quand il fut arrêté par les protestations de Lamberjack et de moi-même : « Nos réunions officielles ne pouvaient servir à faire valoir des marques commerciales ; le fait faisait l'objet d'un article de nos statuts. »

Ce monsieur fut prié de se rasseoir, et notre observation fut appuyée par un murmure général, approuvant notre attitude. Mais M. de K... W... insista, en disant que son intention n'était pas de faire de la réclame, que son vin était assez connu pour s'en passer, mais simplement de nous souligner qu'il était obtenu par des pratiques séculaires et des procédés aujourd'hui disparus en Touraine, qu'il offrait toutes les garanties de bonne fabrication, etc. ; de sorte que je me levai pour lui crier de ma place :

— En voilà assez ! Avez-vous votre carnet de com-

missions ? Inscrivez-moi pour 200 bouteilles et asseyez-
vous !

Il paraît que cette apostrophe jeta un froid, que
M. de K... W... était l'invité personnel du président
(tiens, mais je croyais qu'il n'y avait pas d'invités) ;
mes amis se groupèrent autour de moi pour me donner
un témoignage de leur solidarité, et je disparus.

Dès le lendemain, j'envoyai au président Nathan dit
Louis Forest, ma démission de membre du club.

Je n'obtins aucun accusé de réception de ma lettre,
mais je fus prié de comparaître devant un conseil de
discipline. Je répondis que je ne me prêtais pas à ce
genre de juridiction, et que j'offrais une fois de plus
ma démission. A la suite de cette lettre, le comité ou le
bureau ou le conseil de direction, érigé en tribunal
d'honneur, prononça ma radiation.

A quelque temps de là, il y eut une nouvelle réunion,
à laquelle je ne fus pas convié, naturellement ; la
plupart de mes camarades y assistaient ; les événements
de la séance précédente furent contés et travestis par
le président. Il dut y avoir des commentaires et du
grabuge. A la suite de ce dîner, mes camarades réunis
autour de moi formèrent un nouveau groupe qui fut
appelé par dérision « Le club des Pur-Cent », et on me
demanda d'en accepter la présidence, car j'avais été
l'occasion de sa constitution. Les deux clubs existent
encore et rivalisent d'activité...

Depuis cette date, j'ai fait beaucoup de bons dîners,
sans jamais toucher au château de M...C...

Je me suis entraîné moi-même à exécuter certaines
recettes et à me créer des spécialités. Je fais une ome-
lette fourrée d'échalotes et de ciboulette que je considère comme une petite merveille. Mais mon triomphe
est sans contredit l'œuf du pêcheur, dont je veux vous
donner la recette.

Quand vous mangerez des moules, gardez-en le jus
et faites y pocher un œuf. Servez-le sur un croûton bien

doré après l'avoir nappé de crème fraîche, et saupoudré de fromage râpé. Passez le tout au four vif.

Il faut obtenir un beau gratiné et que l'œuf, néanmoins, reste mollet ; le rôle de la crème consiste à l'isoler de la chaleur du four.

Quand on plonge la fourchette dans l'œuf, le jaune doit se répandre dans le jus des moules. C'est très bon.

J'ai toujours aimé surveiller et contrôler moi-même les faits et gestes de mes cuisinières, dont les plus célèbres ont été sans contredit Aurélie et Catherine. Je leur dois bien cette citation, pour toutes les joies qu'elles m'ont données. J'ai appris d'elles des tournemains, dont je conserve pieusement le secret, et mon cœur leur garde autant de reconnaissance que mon ventre.

Je dicte ces lignes assis dans mon potager, parmi des haricots verts et des tomates, et je ne les considère pas sans plaisir en songeant aux délectations qu'ils me promettent. Si ce livre va en Amérique, on me trouvera bien puéril d'attacher tant d'importance à ces légumes frais qui, là-bas, sont des produits industriels vendus en des boîtes que je réprouve ; si les tomates sont des produits de Dieu, les boîtes de fer-blanc sont une invention des hommes.

Je ne songe jamais sans effroi à tous les bons cuisiniers que nous a empruntés l'Amérique et qui sont devenus, dans les officines des grands hôtels, des alchimistes et des préparateurs de laboratoires... Je voudrais faire quelque chose en faveur de la cuisine française et sauver ses traditions comprises par le nombre d'étrangers qui, vivant à Paris dans l'ignorance absolue des traditions culinaires, s'attachent avec des dollars tous nos cordons-bleus et ne savent rien exiger d'eux, montrent le même appétit devant un potage Knorr, arrosé de Viandox, que devant une loyale garbure, qui porte ses goûts et ses couleurs naturels, où les choux sont verts, les carottes rouges, les navets blancs, le lard rose, où les pois sont sans cristaux de soude.

Je souhaite de garder jusqu'à la fin de mes jours un appétit suffisant pour apprécier la cuisine qui est pour moi un violon d'Ingres.

Car on parle souvent des violons d'Ingres, et en France tous les Ingres ont leur violon. Mais pour moi, un violon c'est peu de chose, j'ai voulu avoir un hautbois, une clarinette et demander à tous les arts les satisfactions qu'ils peuvent donner. Beaucoup de gens me l'ont reproché.

J'ai voulu trouver dans l'art dramatique aussi une diversion à mes occupations habituelles, et j'ai accepté l'offre de Colette, qui m'a entraîné sur les planches. Je n'aurais jamais cru que le théâtre fût encore considéré comme une profession dégradante. Du temps de Molière, les acteurs étaient privés de sépulture, et on dirait qu'il en reste quelque chose aujourd'hui. J'entends encore les accents de M. Lazare Weiler, sénateur et président de mon conseil d'administration, soulignant l'incongruité de mon apparition sur une scène parisienne, même à titre d'amateur. Pour moi, dont le grand luxe dans la vie a toujours été d'être indépendant et de faire ce qui me plaît, je ne peux pas arriver à regretter cette époque où je me suis bien amusé, au cours d'une tournée en province, en compagnie du grand écrivain qu'est Colette et de ses interprètes, et pendant un mois de représentations à Paris, où je revêtais tous les soirs l'aspect d'un personnage nouveau pour moi.

Je devais demander encore aux livres de me donner des joies diverses, non seulement par la littérature, mais par les raffinements de l'édition. Au temps où je travaillais avec Dufy, nous avions mis sur pied et fait paraître un annuaire, que j'avais appelé l'*Almanach des Lettres et des Arts*. Il était imprimé sur beau papier, illustré de bois sculptés par Dufy et réunissait les noms de tous les artistes, écrivains et dessinateurs d'avant-garde. J'avais également à mon actif l'album d'Iribe et celui de Lepape dont j'ai parlé. Je devais encore produire un livre de cuisine où je groupais des recettes

recueillies aux meilleures sources : les grands amateurs
et les grands chefs de cuisine qui étaient mes amis. Je
le fis illustrer d'une façon piquante par une femme
gourmande, pleine d'intelligence et de sensibilité, qui
s'appelle Marie-Alix.

Je fis encore un autre livre d'une qualité tellement
particulière que j'ose à peine en parler, il s'appelait :
POPOLÔREPÔ, *morceaux choisis par un imbécile et illustrés par un autre*. L'autre, c'était Pierre Fau, qui avait
autant de malice que le premier. On y lisait des choses
dans ce goût-ci :

ON SAIT QUE SIX ASSASSINS SUJETS SUISSES SONT CEN-
SÉS SE CACHER A SENS. AUSSI SENSATION INSENSÉE :
CEUX DE SENS SONT SENS DESSUS DESSOUS ; AUCUN SEN-
SAIS SENSÉ N'OSE SORTIR SANS SON CHIEN.

Ou bien :

MA RICHE AMIE MARIE N'A NI MARI NI AMI. VOUS
SAVEZ SA VIE : SON PÈRE MORT MARIN A MARMARA, SA
MÈRE REMARIÉE EST MAHARANIE DE CARAMANIE. SON
PARRAIN EST A MARENNES, SA MARRAINE EST A PAVIE.
N'ENVIEZ PAS SA VIE.

Je suis confus d'être amené à donner un extrait ou
un spécimen de ces divagations, mais puisque j'ai mon-
tré la nature de mes activités, je dois aussi donner une
idée de mes distractions. Au moins avais-je l'excuse de
ne pas prendre au sérieux ces turpitudes, et de ne pas
prétendre en faire la base d'une poésie nouvelle.

Ces sécrétions de la pensée ont d'ailleurs été ennoblies
et enrichies autrefois par l'apport de quelques génies :
Victor Hugo, Théophile Gautier, etc.

Le dernier livre que j'ai édité était un album de publicité qui fut très remarqué : l'annuaire *Pan* ; il s'adressait
à toutes les industries et commerces de luxe, il avait
été créé dans la joie, comme toutes les bonnes choses,

et il avait donné prétexte à la réunion hebdomauaire de tous les meilleurs artistes dessinateurs de l'époque, qui déjeunaient chez moi le mercredi. Alors, on confiait à chacun une énigme de publicité ; il s'agissait de vanter d'une façon imprévue et définitive les graines d'élite de Clause, les complets du tailleur O'Rossen et les précieuses trouvailles de l'antiquaire Bensimon.

Martin, Dignimont, Touchagues, Lucien Boucher, Oberlé, Pierre Fau, Eddy Legrand, Piaubert, Georges Delaw, Camille Bellaigue, Van Moppés et l'animalier Delhuermoz, étaient mes fidèles habitués. Quelques-uns d'entre eux, qui n'étaient pas encore connus, ont trouvé leur voie à cette occasion. L'album *Pan* fut répandu non seulement dans la clientèle qu'il visait, mais tous les amateurs d'art et les bibliophiles en réclamaient un exemplaire. Il sera exhumé quelque jour, et deviendra la formule d'un nouveau magazine.

J'ai commencé à cette époque, avec le concours de ces artistes, la constitution d'une collection de livres illustrés à exemplaire unique : je choisissais, par exemple, un livre de Jules Renard, tiré sur beau papier, comme l'édition Bernouard, je le donnais à lire à un de mes dessinateurs, qui me paraissait avoir un tempérament voisin de celui de l'écrivain, Georges Delaw, dans l'espèce, et je l'autorisais à faire, au cours de sa lecture, des croquis, des aquarelles et des remarques, dans les marges ou à même les pages. J'ai dû interrompre la formation de cette collection et suspendre les frais auxquels elle m'exposait. J'espère bien la reprendre un jour et la pousser très loin.

Elle me consolera de la perte que j'ai faite le jour où j'ai été obligé, à la suite de calamités financières, de dissiper une collection de tableaux ardemment entreprise. Mais n'est-ce pas le sort de toutes les collections d'accumuler un certain nombre de chefs-d'œuvre choisis, pour les voir un jour se disperser aux feux des enchères et se regrouper selon d'autres formules ? Je ne me sens pas le moins du monde bolcheviste, mais j'estime qu'un individu n'a pas le droit de faire main basse sur des œuvres d'art, qui constituent un patrimoine national, sous le prétexte qu'il est riche. Celui qui a les moyens de faire une collection devrait aussi faire vivre les artistes et être obligé, périodiquement, de soumettre ses acquisitions au public, sous la forme d'une exposition, dans un palais de l'Etat. Il pourrait être autorisé à racheter cette obligation moyennant le versement d'une somme qui serait employée à acquérir des œuvres d'artistes inconnus. C'est une idée que je donne, en passant, au ministre novateur, qui voudra bien faire quelque chose d'utile et d'inusité.

Quand on verra les objets d'art et les livres que j'ai rassemblés, beaucoup seront étonnés de n'y trouver aucune outrance. Peu ou point de cubistes, et pas le moindre surréaliste. Je ne supporte pas le langage artistique quand il offre un caractère nébuleux et inaccessible. La nature me paraît s'exprimer clairement : pourquoi l'homme chercherait-il à la compliquer ? C'est peut-être ce que voulait me dire Jean Cocteau, le dimanche qu'il me fit une visite, dans l'après-midi. J'étais resté couché pour me reposer d'un samedi tumultueux ; il vint dans ma chambre et me dit « que j'étais resté pot de fleur », et il ajoutait :

— Vous avez raison, mon cher Poiret... il faut que tout le monde revienne au pot de fleur... Nous y reviendrons tous un de ces jours.

Et j'ai eu l'impression que c'est ce qu'il essayait de faire. Trop tard peut-être.

Et pourtant, y a-t-il un autre procédé pour un créateur que de se désaltérer exclusivement aux sources vives de la nature et de lui rendre généreusement ce qu'on lui a emprunté ? Tous ceux qui veulent trouver en dehors de la nature l'origine de leur inspiration sont exposés à la sophistication et à l'outrance. Le poison ne peut donner que des gibbosités et des déformations monstrueuses, tandis que la nature au contraire, dont l'excitation est à la fois tonique et sédative, ne dispense qu'harmonie et mesure. J'ai toujours tenu à ne pas altérer ma santé physique ou morale qui était la condition de ma bonne humeur perpétuelle et de ma joie dans le travail. Tout le secret est là. Si je fais la cuisine ou si je fais un manteau du soir, je me livre tout entier à mon travail avec bonheur et je n'éprouve aucune contrainte. J'apporte le même goût, le même soin et la même bonne volonté à tous mes travaux et je me donne entièrement à chacune de mes œuvres.

J'espère que cela se voit et que quand on considère une de mes créations, on y retrouve mon sentiment et l'étincelle sortie de moi. C'est probablement ce qui a tenté ceux qui ont voulu s'assimiler mes entreprises. Malheureusement, pour eux, ils n'ont pas compris la nécessité de respecter mes habitudes ni mes façons. Ils n'ont pas eu la manière.

A mon retour d'un voyage en Amérique, je me suis aperçu qu'une bête de proie avait visité mon nid. Le rapace avait enlevé quatre de mes principaux employés et croyait tenir quelque chose de moi. Il pensait emporter avec eux des éléments suffisants pour reconstituer ma maison sans moi ; mais le coucou ne saurait élever les petits qu'il a volés. Il ne couve pas les œufs, il les casse et il les mange. Que sont devenus les malheureux qu'il m'avait empruntés ? Ils sont aujourd'hui épars et sans objet, parce qu'il leur manque la flamme que je savais leur communiquer et qui sortait de mon cœur et de ma pensée. Comment ne s'en apercevraient-ils pas ? Quelle présomption les aveuglait ?

Tout ce que j'ai créé je l'ai fait de moi-même, poussé par une intuition, animé par un désir personnel et je l'ai poussé jusqu'à la réalisation définitive sans le secours de personne. Sans doute, j'étais entouré d'employés et de collaborateurs, mais c'est moi qui les inspirais et aucun d'eux d'ailleurs n'a rien donné après qu'il m'avait quitté. Je n'en ai pas connu un seul qui ait fait parler de lui ou qui se soit imposé au public.

Un artiste s'enferme dans son œuvre, il projette quelque chose de lui-même dans tout ce qu'il entreprend et il est tout entier dans chacune de ses créations. Par un phénomène qui doit être une sorte de radio-activité, je crois qu'il se dédouble sous l'effort de sa volonté et qu'il passe dans son œuvre en potentiel et peut-être en substance : c'est ce qui fait que nous sommes encore tellement émus par le spectacle de certains tableaux de maîtres, qui révèlent une présence effective de l'auteur. Quel amateur éclairé et sensible n'a pas éprouvé cela devant des Giotto, ou des Greco, des Vermeer ou des Chardin ?

Sans doute le miracle ne s'accomplit pas toujours, mais quand les circonstances sont heureuses et l'inspiration bien pleine, cette sorte de transfusion doit se produire, et si ma croyance a quelque fond de vérité, j'espère que l'on a reconnu ma présence dans beaucoup de mes œuvres à cause de la somme de passion que j'y ai dépensée et de tout l'amour dont je les ai pénétrées.

Quelle que soit la nature de l'entreprise et quel que soit le domaine de mon activité, j'ai mis dans tout ce que j'ai fait tout mon tempérament et toute ma sensibilité.

Si Cocteau m'avait vu ce matin, il aurait vraiment pu me dire que j'étais pot de fleur. Il m'aurait trouvé dans ma cuisine dont la fenêtre s'ouvre sur un bruyant poulailler, j'y préparais une dorade grillée au beurre blanc et une pintade aux choux pour recevoir un ami. Je ne peux pas considérer cela comme une bassesse ou comme une naïveté, mais j'y trouve une preuve de force et d'indépendance, et je suis bien éloigné d'en rougir. J'ai accompli ces obscurs travaux manuels avec le même plaisir et la même recherche que j'apportais jadis à construire et à décorer les trois péniches *Amours, Délices* et *Orgues,* ou à composer l'arpège d'un parfum nouveau. Qui pourra donner une idée de la satisfaction unique et pure que goûte un créateur devant son idéal satisfait ? Quel nombre de choses ai-je mises au monde avec ce sentiment de plénitude qui est la récompense de l'effort ?

J'ai voulu tirer des feuillages de certaines plantes des parfums qu'on n'avait demandés jusque-là qu'aux fleurs et aux racines. Je me suis amusé à travailler la feuille du géranium avec laquelle j'ai fait le parfum Borgia, puis le lentisque et les plantes balsamiques de la lande provençale. J'ai demandé aux verriers d'exécuter mes modèles de flacons pour enfermer ces essences. J'ai fait décorer mes verreries par mes élèves de l'école d'art décoratif qui les enluminaient de fleurs et d'arabesques charmantes. J'ai fait en même temps tisser des tapis et imprimer des tentures que personne n'avait encore rêvées. Je suis allé à Venise où j'ai donné aux artistes de Murano des dessins de lustres qu'ils ont soufflés sous mes yeux et j'ai vu mes modèles sortir et naître de leurs cannes enchantées. J'ai été à Milan choisir des brocarts empruntés aux trésors des cathédrales. J'ai fait battre pour moi par les métiers de Lyon des dessins nouveaux, j'ai guidé la main des artistes qui couvraient de sculptures les murailles des palais de mon temps.

... J'ai donné des avis aux ouvriers du nonce
Occupés à sculpter sur la porte un Bacchus...

Et j'ai créé des formes nouvelles qui étaient tantôt des gaines et des dalmatiques, tantôt des corolles et des cloches. Je leur ai donné la forme, la couleur, le mouvement, la vie. Je leur ai donné aussi une réputation mondiale et le respect du public. C'était trop. Il est venu des banquiers qui ont voulu canaliser tout cela, qui se sont emparés de mes activités et qui ont prétendu les maîtriser ; alors cela a été comme si un médecin voulait soigner de force un homme bien portant : il comprime ses poumons pour lui appliquer un pneumo-thorax ; l'appareil artificiel remplace la nature. « A quoi bon tant de fantaisie inutile ? des parfums avec les feuilles ?

Parlez-moi d'une bonne pâte à rasoir, trouvez-moi donc, vous qui êtes artiste, un nom pour baptiser ce produit en tube qui calme les feux de l'épiderme. Vos flacons, vos nouveautés, nous n'en voulons pas, c'est trop cher. Nous sommes des banquiers et non des artistes, nous voulons faire de l'argent ! assez d'excentricité, il nous faut des choses banales qu'on puisse vendre à tout le monde ; nous avons de la méthode, nous, et nous ne dépensons pas notre argent à tort et à travers. »

Un autre me disait : « Votre jupe-culotte c'est une folie, nous n'en voulons pas, cela irrite la clientèle, vous avez fait des modèles ridicules et nous ne pouvons pas les montrer et puisque vous ne pouvez pas nous comprendre, nous cesserons de vous payer. Ah ! Ah ! Ah ! »

Et un troisième m'interdisait de faire exécuter aucun dessin nouveau de meuble ou de tenture. Il faut d'abord vendre, disait-il, tout ce que nous avons en stock ! Je ne pouvais plus approcher les fabricants ni inspirer personne. Le personnel avait reçu des ordres pour cesser tout contact avec moi. Imaginez toutes les sorcières et les mauvaises fées réunies au chevet de la reine pour l'empêcher d'accoucher. Elle devait infailliblement en mourir.

Mais voilà que la reine a disparu et ce sont les sorcières qui ont péri. Ah ! Ah ! Ah !

PHILOSOPHE

La voilà donc tout entière cette existence qui a duré cinquante années. Elle tient dans un volume de trois cents pages. Faut-il qu'il y ait eu du remplissage ? Je ne suis pas fâché de l'avoir regardée dans son ensemble et de la considérer aujourd'hui en raccourci. J'ai probablement pris plus de plaisir que mon lecteur à ce travail.

J'ai tâché de suivre la progression de l'arabesque qui me paraît s'être développée à peu près régulièrement depuis ma naissance, comme ces rubans que les magiciens font tourner autour d'un bâton et qui en suivant des orbes et des spirales de plus en plus excentriques, ont l'air de s'épanouir en d'immenses floraisons. J'ai été le foyer de beaucoup de choses, je pourrais dire plutôt l'incendie qui a allumé beaucoup de foyers mais ces foyers se sont éteints ou couverts de cendres, en s'éloignant de moi. Je n'ai jamais vu réussir ceux qui m'avaient trahi. Il me semble que j'ai vécu une belle aventure, et je me réjouis encore à en considérer toutes les phases, jusqu'à cette fête du 24 décembre 1924 où tous les mufles s'étaient donné rendez-vous chez moi sans y être conviés. Je me trouvais cerné par une bande noire, une de ces jolies bandes mondaines et distinguées

qui s'appelle un consortium. Il manqua des manteaux
de fourrures au vestiaire. On m'en réclama beaucoup
qui n'avaient jamais existé. J. L. F., qui n'en avait pas en
arrivant, partit par erreur avec une pelisse confortable.
Mme M... S... retrouvait à la sortie son manteau de
loutre sur les épaules d'une dame qui n'avait jamais
été invitée. Ce fut la fin de tout.

Quelques jours après, j'étais incorporé à une société.
On connaît la suite.

Quand un promeneur est trouvé assis le matin, au
bord du trottoir, l'œil hagard et le visage décomposé,
le commissaire de police qui l'interroge avec bien-
veillance, lui demande de préciser ce qui lui est arrivé ;
il répond :

— Je ne me rappelle plus. Je sais qu'ils étaient
nombreux. Il y en a un qui a frappé. Les autres faisaient le guet. Je ne suis pas sûr de les reconnaître,
sauf deux ou trois... Mais un de ces jours la police...
Car ce sont des professionnels.

Je suis exactement dans le même cas. Je n'ai pas
de rancune. Je me suis habitué à n'être plus riche. Celui
qui ne s'y habitue pas, c'est mon percepteur. Il y a des
gens qui continuent à me réclamer de l'argent comme
s'il était normal que j'en eusse. Je suis surpris qu'on
puisse être aussi heureux sans cela. J'habite une jolie
campagne de l'Ile-de-France et s'il pleut quelquefois
dans ma chambre, ma fenêtre s'ouvre toute grande sur
une vue superbe et laisse entrer largement l'air, la lumière, les ardeurs du soleil et la fraîcheur des nuits.
Je suis seul (oui madame, tout seul) bien qu'il me reste
quelques amis, et j'ai de grands enfants que j'adore, et
je crois qu'ils m'aiment, bien que je les gronde souvent,
parce que je voudrais qu'ils sachent tout ce que je
sais.

Je me suis remis avec passion à la peinture que j'ai
toujours aimée et pratiquée, et rien ne me semble plus
beau ni meilleur que d'exprimer par des couleurs,

comme par des cris qu'on jette, toute l'émotion que
donne le spectacle de la nature. On a pu dire que ce
n'était pas moi qui peignais mes tableaux. Il se trouvera
bien un jour un imbécile pour dire aussi que ce livre
a été écrit par un autre.

On m'a proposé de revenir aux affaires. Cela pourrait
m'arriver. Je me sens beaucoup de robes sous la peau.
Dans ce cas, je donnerai peut-être un jour un second
tome de souvenirs. Mais je dois prier le lecteur de
m'excuser si, par l'effet d'une circonstance indépendante de ma volonté, il était moins épais que celui-ci.

Le Gibet, Mézy,
Juillet-août 1930.

TABLE

Les photographies illustrant cet ouvrage sont signées
LIPNITCKI-VIOLLET, Jean DUBOUT, René DAZY

L'impression de ce livre
a été réalisée sur les presses
des Imprimeries Aubin
à Poitiers/Ligugé

pour les Éditions Bernard Grasset

Achevé d'imprimer en juillet 1986
No d'édition, 7059 — No d'impression, L 21792
Dépôt légal, juillet 1986

ISBN: 2-246-00453-5

Imprimé en France